DE INSLUIPER

Van Monika Sauwer verschenen eerder:

Mooie boel (verhalen, 1978)
Wilberts lunchpakket (prentenboek, 1978)
Basilok Dok (kinderboek, 1979)
Koude kermis (verhalen, 1983)
Huis en hemel (roman, 1986)
De nabestaanden (roman, 1988)
De animist (verhalen, 1989)
Een verlegen man (roman, 1994)
De ontsnapte dieren (kinderboek, 1999)
Onrustige slapers (roman, 1999)
De grotten van Olim (kinderboek, 2000)
Nemo (roman, 2001)
De dieren van het Verdronken Land (kinderboek, 2001)
Levend model (roman, 2003)
Een onwillige god (roman, 2004)

Monika Sauwer

De insluiper

2006
Uitgeverij Contact
Amsterdam/Antwerpen

© 2006 Monika Sauwer
Omslagontwerp Via Vermeulen / Rick Vermeulen
Typografie Arjen Oosterbaan
Auteursfoto Ronald Hoeben
ISBN 90 254 2615 8
D/2006/0108/909
NUR 301

www.boekenwereld.com

— I —

De man die ADSL kwam installeren had een vreemde blik. Brutale, lichtende ogen onder donkere wenkbrauwen, onverwacht blauwogig als een poolhond.

Martha Duinker had zijn nummer van een kaartje op de deurmat. 'Compu-Quickservice'. Bij zijn entree in Huize Bel Air schudde hij zijn opdrachtgeefster stevig de hand, inspecteerde het huis en sprak zijn waardering uit.

'U woont hier mooi,' zei hij om zich heen kijkend. 'Dit soort villa's is niet meer te betalen voor een gewoon mens.'

'Ik logeer hier omdat mijn tante is overleden,' corrigeerde Martha. 'Voorlopig ben ik huisbewaarder.'

Zonder toestemming te vragen stak hij een sigaret op. Zijn naam had Martha niet verstaan, en daar nog eens naar vragen vond ze onbeleefd. Ze snelde toe met een asbak, koffie en een schroevendraaier, terwijl hij de benodigde stopcontacten vond alsof hij het huis al jaren kende, en neuriënd zijn draadjes trok.

Ze probeerde maar niet zijn gemompelde digi-latijn te volgen. Hij praatte tegen zichzelf, tegen zijn denkende handen. Toen hij aan haar tantes tafel ging zitten, op haar stoel, keek ze hem in zijn gespierde nek met bleekblauwe boord, op zijn kruin, zag zijn schouderbladen bewegen onder het vers gestreken katoen van zijn hemd en voelde haar adem stokken. Computerdeskundigen zijn tovenaars, dacht ze, zíj zijn de machtigen van de nieuwe eeuw. De enigen die niet met hun rug naar de toekomst staan.

Nu hij bezig was met haar pc was ze even bang dat hij haar intieme gedachten zou kunnen lezen. Ze dacht aan de harde schijf van een officier van justitie, die, bij de vuilnis weggeroofd, ambtsgeheimen en kinderporno aan onbevoegden had prijsgegeven. Een dagboek of foto's en souvenirs van geliefden lieten zich eenvoudig wegsluiten in een donkere lade, maar wachtwoorden en toegangscodes waren kinderspel voor die computerlui. Ze liepen zo bij je binnen en als ze wilden gooiden ze je ziel op straat.

'Kom even kijken,' riep hij. Snel toonde hij de keuzemogelijkheden voor haar nieuwe Windows XP-bureaublad: gele tulpen tegen een felblauwe voorjaarslucht, het geschonden gelaat van de maan, een met onrijp koren of gras begroeide, flauw glooiende heuvel tegen een zomerhemel met een enkel onschuldig wolkje.

Hij loenst, dat staat hem goed, dacht Martha. 'Die laatste is wel mooi,' zei ze aarzelend. Ze was niet goed in kiezen, nooit geweest.

'Dan installeer ik het Ierse landschap voor u. Een mooi landschap voor een mooie vrouw.'

'Is hij nu gebruiksklaar?' vroeg Martha blozend. Ook een obligaat complimentje komt bij een eenzame vrouw hard aan.

'Daar gaan we van uit,' zei de man met de rappe vingers. 'Als er iets is, belt u maar. U hebt een eigen website, zie ik.'

'Ja, ik ben grafisch ontwerper. Vandaar.'

Elke ochtend dat Martha voortaan haar pc aanzette, zou ze aan de blauwogige man denken en even worden opgetild.

2

Na het overlijden van haar tante Addy was Martha teruggekeerd naar het huis van haar jeugd. Tegen haar zin,
maar zij was enig erfgename.

Na al die jaren Amsterdam waren de maten van het
huis haar snel weer vertrouwd. Haar voeten kenden de
traptreden, haar handen vonden blindelings trapleunin-
gen, deurknoppen en de koude porseleinen trekker van
de wc achter in de donkere gang met de krakende houten
vloer. De vele ramen met uitzicht op de tuin deden haar
vrijer ademen dan in de stad. Toch hing er een geur die ze
niet kon thuisbrengen. Was die er vroeger ook al?

Ze had haar geboortehuis nooit gemist, ze had het
zelfs lange tijd beschouwd als een plek van verdriet, waar
ze na bezoekjes aan haar tante liever niet bleef slapen.

Toen ze negen jaar oud was, waren haar beide ouders
verongelukt. Neergestort met een vliegtuigje in de buurt
van Lille, waar haar vader een baan had gekregen aan de
universiteit. Hij was archeoloog, hij en zijn vrouw vlo-
gen mee met een toestel van de Franse Luchtcartografi-
sche Dienst.

Nog jarenlang had Martha haar schoolvriendinnetjes
wijsgemaakt dat haar ouders in Canada woonden, een
leugen waarvan ze geen afstand kon doen omdat ze er

zelf in wilde geloven. Sinds het ongeluk was ze door haar ongetrouwde tante en haar oma opgevangen. Voor geen van drieën was dat gemakkelijk geweest. Martha kreeg een opvoeding waar weinig lijn in zat. De oma was streng, de tante grillig. Wat de een verbood, moedigde de ander aan.

Als enig kind had ze vaak alleen moeten spelen. Achter in de tuin of op zolder vertelde ze haar lappenkonijn over het ideale gezin: ouders van wie je alles mocht, een grote broer die je meenam naar de kermis en de ijsbaan.

Hoewel er kamers genoeg waren op de eerste verdieping, wilde Martha toch weer op haar oude zolderkamer gaan slapen. Tijdens het stofzuigen en het bed opmaken begon ze zich te ergeren aan de zelfgetekende posters die aan de wanden hingen te verschieten. Felgekleurd waren ze destijds, uitgevoerd in neo-jugendstil, met paarse of oranje aankondigingen van schoolfeesten die meestal hadden teleurgesteld. Ze wipte de punaises los met een schaar, rolde de posters stijf op en stak ze zo diep mogelijk achter de klerenkast. Niet eerlijk, want het ontwerpen had haar toen van een zekere populariteit verzekerd. Tijdens het urenlange tekenen met viltstift en Oost-Indische inkt was ze geheel opgegaan in haar papier.

Op de plaats van de verwijderde affiches toonden zich nu lichtgele rechthoeken op het omringende grauw van de muren. Verwijtende rechthoeken, maar zo kon ze wel de oorspronkelijke kleur weer zien die haar vader en later Addy hadden aangebracht. Er was geen ontkomen aan, elke vierkante centimeter van dit huis verwees naar iets of iemand.

De eerste nacht in het smalle bed voerde haar terug naar haar tienertijd: vrijen om erbij te horen, met een weinig aantrekkelijk vriendje, al doende steeds luisteren of er geen tante de zoldertrap opkwam, na afloop thee moeten drinken in de serre en nog veel meer meisjesleed. Wat deed ze hier? Ze haatte haar jeugd, waar was ze aan begonnen? Ze moest Bel Air zo snel en zo goed mogelijk zien te verkopen. Maar eerst opruimen en de tuin fatsoeneren. Een onafzienbare taak.

Ze rolde van de ene zij op de andere en was bang voor alles en niets tegelijk. Een ondraaglijk gevoel, want angst wil een object hebben, dus bleef ze piekeren. Nu eens leek het smalle bed een ziekenhuisbed waar ze elk moment uit kon vallen, dan weer voelde ze het huis met al zijn kamers vol meubels zwaar aan zich trekken. Of ze hoorde in haar halfslaap Addy krakend de trap op klimmen om haar uit te foeteren: 'Ben je nou alweer met je tengels aan m'n (vul maar in) geweest!' Van haar tante mocht Martha nooit ergens aan komen. Ze zou alles kapot, vies of zoek maken. Eigenlijk hield Addy niet van kinderen – ze herinnerden haar aan eigen gemiste kansen – maar van de ene dag op de andere zat ze met de dochter van haar broer opgescheept.

Wat was beter, tobde Martha, herinneren of vergeten? Alles in een container gooien, het huis verkopen en dan spijt krijgen, of het verleden koesteren en zijn plaats geven?

De tweede nacht sliep ze rustiger, ze had haar angst voor het lege huis gedomesticeerd. De met zachtboard afgeschotte zolderkamer was een veilige verpakking, besloot ze. Ze las zichzelf in slaap en werd wakker van de duiven in de dakgoot. Lang stond ze voor het open raam de ochtendlucht in te drinken. Was ze klaar voor een nieuw begin? Dankbaar voor het daglicht keek ze de boomkruinen in. Achter de tuin liep een zandpad en daarachter lag de heide. Aan haar rechterkant stond een huis te koop, aan de andere kant was een verwilderde kerstbomenkwekerij uitgegroeid tot een volwassen sparrenbos. Ze rook het vochtige naaldhout en huiverde.

Na wat rek- en strekoefeningen en een warm bad trok ze voor de grap een van haar oude broeken uit de naar kamfer riekende kast aan. De rits ging zowaar nog dicht. Wat er ook gebeurd mocht zijn, veel dikker was ze niet geworden. Ze zou de schooltas die ze onder in de kast vond kunnen volstoppen met vergeelde boeken en schriften en dan naar school fietsen, als in haar nachtmerries waarin ze weer eindexamen moest doen. 'Voor mij geen nostalgie,' zei ze hardop. Ze begon al in zichzelf te praten, net als haar tante, de laatste bewoonster. Nu was zíj de hekkensluiter en aspirant-eigenaar van het huis dat haar overgrootvader een eeuw geleden had laten bouwen. De reden van zijn verhuizing van Utrecht naar de Veluwezoom was zijn zoontje. Martha's latere opa George had als kleuter astma gehad en dokters schreven toen 'goede lucht' voor.

Kon zij de verantwoordelijkheid aan? Ze moest zich met één dag tegelijk bezighouden, nam ze zich voor. Rustig opruimen en haar gedachten laten gaan, luisteren naar wat het huis te vertellen had. Ze wilde in haar oude klimboom klimmen om het terrein te overzien, maar die bleek te zijn omgehakt. Ze maakte de serre schoon en deed een eerste poging tot tuinieren. Gaandeweg ontdekte ze dat één dag van vroeg tot laat, van uur tot uur in eenzaamheid beleven een hele opgave was.

Meer dan de telefoon werd de computer haar vriend, de e-mail haar levenslijn met de anderen. Een scherm is geduldiger dan papier, alles wat je maakt of schrijft laat zich moeiteloos veranderen of spoorloos uitwissen.

Bel Air lag in een boomrijk wijkje met laatnegentiende-eeuwse villa's. Een kilometerslange eikenlaan verbond het met de dorpskern van Wolfheze. Gekoesterde huizen waren het, met namen, en met tuinen uit een tijd dat de heidegrond nog vrijwel niets kostte. Huizen waar je omheen kon lopen.

Het geluid van de echte wereld, het suizen van het snelverkeer over de A50 naar Nijmegen, hoorde Martha algauw niet meer omdat het er altijd was.

Pas toen ze er allang niet meer woonde, was ze naar Huize Bel Air gaan kíjken. Het had een blik, het keek de bezoeker vorsend aan met zijn hoge ramen en intelligente puntgevel. Aan de ene kant had het een serre met een balkon erboven, aan de andere een ruime bijkeuken. Donker geboomte gaf het rugdekking. Aan de straatkant had het een stenen tuinpoort met een lichtgroen geverfd, smeedijzeren hek, dat kermde bij het openen en sluiten. Rustieker kon het niet. Het soort huis waar ze graag zou intrekken als ze er niet opgegroeid was.

Het duurde dagen eer Martha haar gejaagdheid kon afleggen in ruil voor een zekere berusting. Zo paste ze beter bij het huis en bij de mensen hier. Bij de ouderen, weltverstaan, want iedereen onder de vijftig bleek overdag de wijk uit om geld te verdienen. Er kwam niemand langs, behalve de postbode en vaklieden als de computerman en een elektricien voor het badkamerlicht. Op een smoorhete dag in juli had ze zelfs de schoorstenen laten vegen, omdat de man die aan de deur zijn diensten aanbood haar zo beteuterd aankeek terwijl ze hem probeerde af te schepen. Zouden alleenstaande vrouwen vaker werklui bij zich thuis laten komen dan samenwonende? De computerman had de gratie van de echte vakman, doelgerichtheid sierde zijn bewegingen. Ze had hem begeerd maar haar verlangen beklijfde niet, het sloeg moeiteloos over op wie of wat zich toevallig aandiende. Gevoelens vervluchtigden hier snel omdat er niemand was om ze mee te delen. Niemand dan de onvermoeibaar jubelende merel in de spar, maar wat er in zijn kopje omging zou ze nooit weten.

De dichtstbijzijnde winkel was twee haltes met de bus of acht minuten fietsen, via een brug over de snelweg heen en dan langs de lange eikenlaan naar het dorpscentrum.

Ze moest het doen met de hoffelijke begroetingen van de buurman, een oude antiquaar. Tot de jongelui met tennistassen op hun fonkelende fietsstuur had ze geen toegang, net zomin als tot de ouders met hun golfclubs. Soms probeerde ze een praatje met een loslopend kind of een hond zonder baas, maar die reageerden schrikachtig. Ze roken haar vreemdheid. Ze was een ander geworden, de weg naar haar verleden was versperd, ze werd beleefd maar resoluut teruggewezen. Had ze het maar niet moeten verloochenen, nu sloot het zich langzaam voor haar af als een wak in het kroos. Straks zou ze de bodem niet meer kunnen zien. Op een paar oude winkeliers in het dorp na kende ze hier niemand meer. Al leek haar jeugd in de ruimte nabij, met huis en al was ze afgedreven naar een nieuwe, onwerkelijke tijd.

3

De dagen in Bel Air regen zich aaneen tot weken. Hoewel Martha zich had voorgenomen hard te zijn, kon ze niets weggooien. Als het vrouwtje uit het weerhuisje was ze met slecht weer binnen en met mooi weer buiten bezig. Aan haar grafisch werk kwam ze nauwelijks meer toe.

Op een regendag in augustus vond ze tussen de spam een bericht van een zekere Nina Smit. Wie kon dat zijn? Nieuwsgierig maakte ze het open, omdat het onderwerp 'Addy Duinker' was. Een ver familielid dat haar tantes rouwadvertentie in de krant had gelezen?

'Zeer geachte mevrouw Duinker,
Gecondoleerd met het verlies van uw lieve tante. Ik reageer veel te laat, maar ik woon in Québec, Canada, en de rouwadvertentie werd me pas onlangs opgestuurd door een Hollandse kennis. Mijn excuses voor de e-mail in plaats van een brief, maar ik ben herstellende van een knieoperatie en dan is de computer zoveel makkelijker. Je hoeft niet naar de brievenbus.

U kent mij niet, maar ik ken u wel een beetje van uw website. Ik heb gewoon uw naam en land ingetikt en toen kwam ik algauw bij 'Duinker Design' terecht. Wat een verrassing! Nu ken ik alvast uw gezicht van de foto van u aan uw werktafel. Het is opvallend hoe u op uw vader lijkt, dezelfde wenkbrauwen, dezelfde neus. Hij kon goed tekenen en nu maakt u behang en boekomslagen, zie ik. Mooi werk en zo veel!

Ik weet dat uw ouders zijn verongelukt toen u nog jong was en dat Addy een tweede moeder voor u is geweest. Voor mij was ze een zusje. Des te verdrietiger dat zij na wat er gebeurd is geen contact meer met mij wilde. Maar wat zij ook van me gedacht mag hebben, ik zal haar nooit vergeten. Ze was een driftkop, in haar jonge jaren zag ze eruit als een filmster, met haar zwarte haar en felle donkere ogen. Als ze kwaad was stampte ze op de grond met haar hakje en gooide het hoofd in de nek. Ze kon je verachten, maar ze kon ook heel aandachtig naar je luisteren en lief en meelevend zijn.'

Martha ging rechterop zitten en wreef haar ogen uit: een onbekende jeugdvriendin van Addy! Daar moest ze meer van weten. Geboeid las ze verder.

'Mijn schoondochter heeft liever niet dat ik contact met u heb. Zij en mijn zoon denken, geloof ik, dat ik gek aan het worden ben. Wie oud is wordt van alle kanten aangepraat dat hij/zij bezig is zijn verstand te verliezen, maar ik laat me niet op mijn kop zitten! Schrikt u vooral niet, ik bedoel het niet kwaad. Ik wil u alleen maar mijn verhaal vertellen. Ik moet met mezelf in het reine zien te komen. Na al die jaren heb ik er toch ook recht op om mijn kant van de zaak te belichten?

Nu ben ik oud en de waarheid wil naar buiten, onder

de mensen komen. Waarom ik juist u daarvoor uitkies? Omdat we in zekere zin familie zijn. Uw grootvader George Duinker heeft mij als oorlogsweesje van veertien in het gezin opgenomen. Dat meisje, u misschien uit verhalen bekend als Ninette, werd net als de andere twee kinderen behandeld. Ik moest meehelpen in de moestuin, sokken stoppen en verstellen, wassen en strijken, mee naar de kerk met uw grootmoeder. Ik was gelukkig in Huize Bel Air.

Dankbaar denk ik terug aan mijn pleeggezin en aan mijn zusje Addy en ik wens u veel sterkte met het gemis.

Hartelijke groeten,

Nina Smit.'

Nina? Nog nooit had Martha die naam horen noemen in de familie. Dit was veruit de merkwaardigste condoleancebrief die ze tot nu toe had ontvangen. Tijdens het lezen had ze het bloed uit haar gezicht voelen wegtrekken, zoals altijd als ze aan haar vader werd herinnerd wanneer ze er niet op verdacht was. Even betastte ze haar neus: 'Het is opvallend hoe u op uw vader lijkt.' Haar was altijd verteld dat ze 'sprekend' haar oma zou zijn, en dat ervoer ze niet als compliment.

Wie was deze Nina? Alle namen klopten. Haar grootvader kende Martha uit verhalen als huistiran en avonturier, maar ze had nooit gehoord dat hij een weesmeisje in huis had genomen. Jaren voor haar geboorte was hij gestorven aan een longontsteking. Als kind had ze vaak over hem gefantaseerd: een man met gezag in een huis vol vrouwen. Hij had zijn stem maar even hoeven verheffen om het kippenhok stil te krijgen.

Ze las de e-mail nog een keer. Nina Smit wilde haar verhaal vertellen, zo schreef ze. Ze had Martha's vader als jongen gekend, dat bood nieuwe perspectieven. Hoe meer ze over hem te weten kon komen, hoe beter.

Ze wist nog precies wat ze deed op die warme dag in augustus 1960, toen het fatale bericht kwam. Het was een lange vakantiedag, ze liep zomaar wat te huppelen door de buurt, er was niemand om mee te spelen. Huppelen, zoals alleen jonge meisjes dat kunnen. Toen kwam Addy naar buiten om te vertellen dat er iets ergs was gebeurd met haar ouders, dat ze allebei in het ziekenhuis lagen. Martha had niets teruggezegd maar was op straat gaan tekenen. Geen beesten of een hinkelbaan, zoals anders, maar een streep. Met een wit krijtje trok ze een eindeloos lange, rechte lijn over het asfalt van haar laan. Al doende raakte ze in trance, ze mocht pas stoppen als het krijt op was, maar voor het zover was werd ze geroepen voor het eten.

Binnen kreeg ze de waarheid te horen. Haar oma en tante Addy zeiden met bleke gezichten dat het vliegtuig van haar ouders was neergestort boven een korenveld in Frankrijk. Het toestel was uitgebrand, haar ouders zouden nooit meer terugkomen. Dat weigerde ze te geloven. Ze rende naar boven om uit het zolderraam naar de lucht te kijken. Er vloog net een vliegtuig over dat een witte streep trok. Vanuit de lucht kon je mooi zien hoe oude Romeinse wegen gelopen hadden, had haar vader geschreven in zijn laatste brief, die ze uit haar hoofd kende. Vanuit de lucht kon je dus ook te pletter vallen en verbranden in je toestel.

Ze wilde haar ex-vriend bellen om over Nina te vertellen. Max had Addy goed gekend en haar oma nog ontmoet als hoogbejaarde dame die urenlang zat te zwijgen met een pluizig geworden breiwerk op schoot. Soms kwam het oude venijn nog even boven. 'Jullie zijn helemaal niet verliefd, dat zie ik zo,' zei ze dan. Of: 'Waarom hebben jullie geen kinderen?' Oma Ida was, zoals dat heette, geen gemakkelijk mens geweest.

Op tijd bedacht Martha zich. Familieanekdotes van een ex zijn alleen nog maar hinderlijk. Ze moest eraan wennen dat ze er alleen voor stond.

Tuk op meer nieuws uit het verleden, antwoordde ze Nina per omgaande: 'Bedankt voor uw bericht. Zou u me, als u tijd hebt, nog iets meer kunnen vertellen over mijn familie? Ik was negen toen mijn vader verongelukte, dus verhalen over hem en over mijn opa die ik nooit gekend heb zijn meer dan welkom.'

Voor het eerst in jaren kreeg Martha een kans de eindeloos door haar oma en Addy herkauwde herinneringen aan te vullen met verse voorraad. Het was duidelijk dat er vroeger in dit huis veel gepraat werd, maar nog meer verzwegen. Opeens schoot haar te binnen hoe vaak ze als kind 'mind the child' had horen fluisteren. Ook later, in haar puberteit, als ze doodstil achter de deur stond om dan plotseling de kamer binnen te vallen, stokten de gesprekken tussen oma Ida en Addy halverwege een zin.

Pas laat die avond werd Martha's nieuwsgierigheid bevredigd. Nina Smit schreef dat ze veel had gehouden van haar pleegmoeder Ida, die haar naailes gaf. Met Addy speelde ze in de tuin, en als het regende op zolder. En ze vocht met haar grote broer Frans, in de tijd dat hij nog in bomen klom en een vliegtuig had gebouwd van latten en zeildoek. Daarmee had hij vanaf het dak een glijvlucht van zeker vijftien meter gemaakt. Bij het neerkomen in de bosjes was het vliegtuigje total loss geweest, maar hij had geen schrammetje. In de hongerwinter was het vliegtuig in de kachel verdwenen. Frans vertelde haar over de heldhaftige RAF-piloten en de vijandelijke Messerschmitts: 'In een geheime ruimte onder de hanenbalken hadden we een radio verstopt, zodat we elke avond naar de BBC en Radio Oranje konden luisteren. Dan lagen we op onze buik achter een stapel stoffige behangrollen en margarinedozen. Via een luik in de planken beschotting konden we er vanuit mijn zolderkamer binnenkruipen. Het was er zo krap dat we voortdurend ons hoofd stootten. Later met die razzia's heeft Frans zich er nog moeten verstoppen. Op zondag 17 september '44 stonden Addy, Frans en ik op het dak met lakens naar de parachutisten te zwaaien. "De tommy's," juichte Frans. "We zijn vrij!" Toen heeft uw grootvader ons woedend het dak af geschreeuwd, veel te gevaarlijk. Enfin, u weet hoe het afliep, hij kreeg gelijk, we moesten dagenlang schuilen in de kelder. Eigenlijk begon de oorlog toen pas echt.

Als Frans en ik vochten, probeerde ik hem steeds weer tegen de grond te drukken, maar dat lukte me zelden. Vaak gingen onze spelletjes over in onhandig vrijen. Het werd hongerwinter, aan alles was gebrek, behalve aan liefde. 's Nachts kroop hij stiekem bij me in bed. Onder de klamme, doorgestikte dekens hield hij me warm. Samen sliepen we in Gods handpalm. Onze adem maakte ijsbloemen op het zolderraam. Niet één keer zijn we betrapt, maar toch kon het niet duren, daar zou uw grootvader wel voor zorgen. Hij was jaloers, hij noemde me zijn elfje, hij nam me op schoot als een kind en ik moest zijn nek masseren.

Al dat verleden! Het vervolg zal ik u besparen, het is nu drie uur 's middags en ik moet naar fysiotherapie.

Antwoord me, heel graag, dan schrijf ik zo gauw mogelijk terug.'

Op internet vond Martha onder 'Market Garden' verhalen van 'gewone mensen' over de Slag om Arnhem. Volgens het verslag van veteraan 'Pete Brown, 1st Airborne Division' waren ze met zweefvliegtuigen en parachutes 'tamelijk ver van Arnhem bij het dorp Wolfheze' geland, omdat het dichter bij de brug te drassig zou zijn geweest. 'Er ontstond een verwoed gevecht dat duurde van zondag tot donderdagmorgen.'

Nina haalde de geschiedenis dichterbij, ze had samen met de familie vanuit de kelder van dit huis de oorlog horen bulderen. En ze had op Martha's zolderkamer geslapen. Zou ze hier echt met haar vader gevreeën hebben? Niet in hetzelfde bed, maar toch?

Opgewonden en jaloers op Nina's bewogen verleden schoof Martha die avond tussen de lakens. Toen ze zich uitstrekte voelde ze iets aan haar voeteneind. Een onderbroek? Ze sloeg het dek weg en vond haar verloren gewaande lappenkonijn Peter terug. Hoe kwam die daar terecht? Had ze hem door het vele woelen naar beneden gewerkt? Maar dat kón niet, ze had hem pas nog gezocht en hem nergens kunnen vinden. Was er iemand in haar kamer geweest? Een werkster had ze niet. Het beest heette Peter Rabbit, naar het konijn uit een boek dat haar vader had voorgelezen. Toen haar ouders pas dood waren, was ze weer op hem teruggevallen. Tot afschuw van Addy, die hem tot drie keer toe bij de vuilnis had gezet. Oma Ida had het voor haar opgenomen. 'Laat dat kind nou maar. Dat gaat vanzelf over.'

Als ze niet kon slapen had ze Peter haar belevenissen van die dag verteld. Nu ze hem had teruggevonden bleek hij nog steeds goed in de hand te liggen. In plaats van zich nog langer af te vragen hoe hij in haar bed terecht was gekomen, accepteerde ze zijn aanwezigheid als een gegeven.

— 4 —

Nina meldde zich binnen een paar dagen weer. Met een ode aan Bel Air ditmaal. Voor haar, als kind uit een Rotterdams bovenhuisje, was vooral de tuin een openbaring geweest, schreef ze. 'Bijna alle bloemperken had je grootvader in groentebedden veranderd. Onder zijn leiding moesten we koemest door het tuinzand spitten. We zaaiden worteltjes, radijs, tomaten, sla, andijvie en allerhande peulvruchten. Hij leerde me hoe ik in de herfst zaden kon winnen en drogen en hoe ik aardappelen moest poten. Ik herinner me vooral de prinsessenboontjes en de margrieten, want zo vierden we dat de gelijknamige prinses een halfjaar oud werd: bloem in het haar, boontjes op tafel. En we plantten goudsbloemen, dat was een daad van verzet.

Elk voorjaar haalde ik samen met uw grootvader de dahliaknollen uit de kelder om die naast de korenbloemen en de margrieten te poten. Rode pompoendahlia's, u kent ze vast wel. Zo hadden we vanaf het balkon gezien een rood-wit-blauwe vlag in de achtertuin, met een wimpel van goudsbloemen en afrikaantjes.

In de herfst werden de dahliaknollen er weer uitgehaald. Ik mocht ze afborstelen en te drogen leggen op een krant in de bijkeuken. Dan moesten ze weer terug naar de kelder, in een tenen mand naast de grote aarden pot waarin de aardappelen werden bewaard. Die pot klonk in de hongerwinter akelig hol. Als ik hier, in Sept-Iles, in mijn moestuin werk, denk ik altijd aan Bel Air.'

Ook Martha zocht in de tuin van Bel Air de toegangs-poort tot het paradijs, maar die lag nog diep onder het onkruid verborgen. Tuinieren werd voor haar een ma-nier om zich het domein eigen te maken en haar gedach-ten te ordenen. Elke ochtend na een stevig ontbijt trok ze Addy's overall aan en zette zich aan haar dagtaak. De tuin moest en zou aan haar wil onderworpen worden. Sinds het vroege voorjaar was er niets meer aan gedaan. Als eerbetoon aan Addy wilde ze hem weer mooi laten zijn als vanouds, om goed te maken dat zij met vakantie was toen haar tante stierf. Je hebt mensen die sterven met vlagvertoon, maar Addy was met stille trom ver-trokken. 'Doe met me wat jou het beste lijkt,' placht ze te zeggen. 'Strooi me maar ergens uit waar het goed is.'

Eerst met de moed der wanhoop, maar allengs met vas-tere hand snoeide Martha de wingerd en de klimrozen, ontluisde de Oost-Indische kers en de dahlia's met zeepsop en een oude tandenborstel, zoals ze dat als kind geleerd had.

Dahlia's die groeiden uit de knollen die nog door Ni-na's handen waren gegaan. In de kelder stonden nog al-tijd de mand en de bruine aarden pot, met daarin een res-tant uitgelopen aardappels. Ze zou ze kunnen poten, net als Nina in de oorlog had mogen doen.

De Oost-Indische kers die Addy begin maart onder

glas had gezaaid bloeide vurig, ondanks zijn geel geworden blaadjes. Uit eerbied plukte ze een dieporanje bloem af, ze zoog aan de punt van de trechtervormige kelk en proefde een bedeesde nectarsmaak.

Ze knipte de ligusterheg tot de blaren in haar handen en de tranen in haar ogen stonden en rukte het kniehoge onkruid uit de borders, vol traditionele vaste planten als duizendschoon, achillea en helenium. Ze deed het met spijt, ook onkruid had in haar ogen bestaansrecht.

Jaren van dagelijks rondjes rennen door het Vondelpark hadden haar onvoldoende voorbereid op deze uitputtingsslag: met een botte schaar een vijftig meter lange, bijna een meter brede en twee meter hoge haag in model knippen. Ook de oude grasmaaier was bot, of het gras was te ver doorgeschoten voor de maaibladen, dat wist ze niet. In elk geval moest ze haar pogingen het gazon te maaien badend in het zweet opgeven. De scharensliep kwam niet meer langs, net zomin als de bakker, de schillenboer en de ijscoman. De enige van de weinige voorbijgangers die haar groette, was de baardige oude buurman met de alpinopet op zijn hoofd en een loslopend mopshondje in zijn kielzog. 'JAN BEETS BOOKSELLER' stond er op een handgeschilderd bord in zijn voortuin. Hij was haar buurman van een tuin verder. Beets: hij moest de zoon van de kweker zijn. Tussen zijn huis, Soli Deo Gloria genaamd, en Bel Air lag de verwaarloosde kerstbomenkwekerij. Een huis waar Martha als kind met aangeleerd afgewend gezicht langsliep omdat er NSB'ers woonden. Nu stond daar voor het hek een ongewassen oude VW-bus geparkeerd, met een canvas hondenkussentje op de passagiersstoel. Een stoffige bus als stil protest in een wijk waar iedereen gewassen auto's en garages bezat.

Jan Beets zag eruit als een kunstschilder uit de tijd dat artiesten nog roos hadden op de schouders van een van armoe glimmend pak. Met hem zou ze eens een praatje moeten maken, vragen of hij misschien een zeis te leen had.

Maar dat praatje stelde ze uit, ze was eenkennig geworden en met een zeis omgaan leek haar bij nader inzien te moeilijk. Dus besloot ze het gras gewoon maar met de heggenschaar te knippen, elke dag een paar vierkante meter. Een saai en onaangenaam karwei dat ze beschouwde als een oefening in volharding. Tuinieren bleek taai ongerief, ze kreeg te maken met slakken, muggen, mieren en wespen. Met afgebroken nagels, lage rugpijn, met duizelingen en vooral met verzengende dorst. Ze voerde een thermosfles ijsthee met zich mee op haar langzame verovering van het grote grasveld, maar ze had nog niet gedronken of haar keel was alweer droog.

Al zwoegend dacht ze aan haar oma en tante Addy, het eindeloze gekwek en gekibbel vanuit hun ligstoelen. Over de voordelen van het plastic margarinekuipje boven het klassieke botervlootje, over de vrijer van het dienstmeisje en over de nieuwe reisgids van Hotelplan. Over Jackie Kennedy en Grace Kelly. Plotseling oplaaiende en weer uitdovende ruzies om niets. Dankzij de gunstige grondaankoop en het bouwkundig inzicht van haar overgrootvader hadden de dames toen, en zij nu, de beschikking over een groot, koel huis met een serre en een bostuin. En de weidse ruimte van de heide vlakbij.

Ondanks de inspanningen week de onrust niet uit Martha's hoofd. Ze bleef zich spiegelen aan de stad. Zolang ze er feesten en vernissages bezocht, bleven de daar heersende meningen haar horizon bepalen. Dus liet ze steeds vaker verstek gaan, hield haar vrienden aan de lijn door hun aan het einde van de zomer een groot feest te beloven. Met lampions in de bomen, zo stelde ze zich voor.

'Ik dacht dat je Bel Air ging verkopen!' riep een vriendin uit de stad, toen ze haar blaren en schrammen zag. Martha had geen zin om uit te leggen dat ze een ander het huis niet gunde. Ze moest er niet aan denken dat een nieuwe eigenaar het binnenwerk zou slopen om er een moderne flat of kantoor met oude buitenmuren van te maken. Ze was zich gaan hechten aan huis en tuin, ze wilde ze beschermen. Door haar eenzaamheid en haar manier van tuinieren, met gebrekkig gereedschap en zonder enige kennis van zaken, zou ze gelouterd worden. Dan kwamen de ideeën voor haar werk vanzelf.

'Voorlopig verkoop ik niet,' zei ze stug.

'Je zou een galerie kunnen openen', werd haar nog aangeraden.

'Hier komt geen hond.'

'Dan moet je tamtam maken. Er zít al een antiquaar naast je. Hier kunnen je klanten hun auto tenminste kwijt.'

Van het tuinfeest zag Martha maar liever af. Ze wilde geen volk over de vloer dat haar de maat kwam nemen. Geen bemoeizuchtige oude kennissen meer; ruim baan, een nieuw leven. Het huis had haar stevig in zijn greep.

's Avonds wandelde ze over de hei en verwonderde zich over de talrijke bremstruiken en berkjes. Waren die hier vroeger ook al geweest? Ze wist het niet, kinderen letten op andere dingen.

Door de bosrand aan de horizon die een psychiatrische inrichting aan het oog onttrok, leek het alsof het natuurgebied zich eindeloos ver naar het noorden uitstrekte. Na zonsondergang, als de dagjesmensen naar huis waren, waande ze zich de enige mens op aarde. Haar tochten voerden haar langs De Kei, een eindmorene, daar lang geleden achtergelaten door een smeltende gletsjer. Ze dacht de vuurtjes van de schaapherders te kunnen ruiken, alleen graasden er achter het prikkeldraad geen schapen meer maar importrunderen, en de rook kwam van een barbecue.

Bij de watertoren liep het pad dood op het hek van de Van der Palmkazerne. Soldaten zag of hoorde ze er nooit. Waren die allemaal op verre vredesmissies?

Al tuinierend werd Martha ongevoelig voor brandnetels en insectenbeten. Ze werd honingbruin en haar haren gingen weer glanzen. Als ze het te warm kreeg stapte ze uit haar overall en werkte ze verder in bikini en kaplaarzen. Als er niet op ongeregelde tijden een postbode, krantenjongen of anders misschien buurman Beets het tuinpad kon betreden, had ze net zo goed naakt kunnen werken, af en toe verkoeling zoekend onder de tuinsproeier. Geen groter genoegen dan een koude tuinspuit op haar gloeiende huid. Sinds Max had ze niemand meer in zich geduld. Ze bleef de idee van hun liefde trouw, al behoorde die bij een afgesloten periode.

Van het huis bewoonde ze voorlopig alleen de grote keuken, de serre en haar oude kamer onder de hanenbalken. De keuken ontvetten en reinigen had haar vijf dagen werk gekost, met het laag voor laag ontginnen van de kamers en de zolder wachtte ze nog even. Huis en tuin waren onlangs getaxeerd op een dikke twee miljoen, maar al haar geld had Addy aan goede doelen vermaakt. Hoeveel achterstallig onderhoud wachtte haar? Wat voor verborgen gebreken zou het huis hebben?

5

Na gedane arbeid liep Martha naar de kelder, knipte het kale peertje aan en voelde diep onder in de bruine aarden pot naar de resterende aardappelen. Snel trok ze haar hand weer terug uit een wirwar van bleke scheuten.

Toen bekeek ze de bestofte flessen antieke rode bordeaux in het rek. Het restant van wat ooit Georges deel van een legendarische wagonlading St. Emilion, Château Angelus was geweest, waarop hij samen met vrienden had ingetekend. Grand Cru Classé 1936, las ze, na een van de etiketten met haar wijsvinger te hebben schoongeveegd. Hoe hadden die flessen de oorlog doorstaan? Zouden ze na ruim een halve eeuw bedorven zijn, of waren ze juist een fortuin waard? Aan Addy kon ze het niet meer vragen. Ze telde ze na, het waren er nog dertien. Er een openmaken vond ze zonde, alleen drinken was de here verzoeken. Maar mocht er onverwacht bezoek komen, dan had ze iets in huis.

Voor ze weer naar boven ging snoof ze genietend de keldergeur van vochtig cement en schimmels op. Met de dag begon ze zich meer huiseigenaresse te voelen.

Ook in de grote serre waar het rieten meubilair en de koperen vaas met pauwenveren en judaspenningen van oma Ida de toon zetten, raakte Martha al thuis. Hier ging ze haar studio inrichten, besloot ze. Ze zou haar werktafel en lichtbak uit Amsterdam over laten komen.

Als ze haar ogen sloot zag ze Addy voor zich zoals ze vorige zomer het houtwerk van de serre had staan schilderen: in overall, theedoek om het zwarte egeltjeshaar geknoopt. Fragiel maar onverzettelijk, hulp had ze afgewimpeld. Die wordt wel honderd, had Martha toen gedacht.

Bij het vallen van de avond zat ze met de serredeuren wijd opengeschoven naar de tuingeluiden te luisteren. Buiten ritselde de wind in de struiken, blaadjes glisten en schuurden zacht langs elkaar, krekels tjirpten in het gras. Op dat uur was Bel Air op zijn best.

Het grote, uitgewoonde buurhuis dat Vreedenburg heette was onverlicht, het stond te koop. Ze zou er graag eens inbreken, om te kijken hoe het er nu vanbinnen uitzag. Vroeger was het een pension geweest waar Ambonezen gewoond hadden. In de serre had oma Ida hun vele kinderen getrakteerd op waterglazen ranja. Onder hen had Martha haar eerste vriendje gevonden, een tengere, donkere jongen die Boy heette. Hij kraakte hazelnoten tussen zijn tanden, droeg een vlijmscherp mes bij zich en negeerde haar, behalve als hij haar nodig had. Zijn gezicht kon ze zich niet meer voor de geest halen. Wel hoorde ze nog zijn stem, zijn rollende r, zijn voortdurend gebedel om haar rode plastic bal, waarmee de jongens van Vreedenburg op zomeravonden voetbalden op de hei.

Als dank lieten ze Martha linksback zijn, maar wat dat inhield wist ze niet. Ze rende zich het vuur uit de sloffen maar kreeg niet één bal toegespeeld.

In de eikenbosjes bezong de merel de kortstondigheid van het geluk. De zon ging onder en de hei rook nog lang naar warm zand.

In Georges boekenkast vond ze een schetsboek vol gedetailleerde potloodtekeningen van Keltische sieraden, zwaarden, helmen, grafbeeldjes en Veluwse klokbekers. Een onverwachte vondst, want de meeste tekeningen had haar oma weggeschonken aan het Rijksmuseum voor Oudheden in Leiden. Opa George had een benijdenswaardige hand van schetsen. Zijn dubbelportret van een Etruskisch echtpaar op hun sarcofaag was overtuigend. Volgens haar vader ging hij al jong naar Leiden om de mummies te bekijken. Ze bekeek zijn fijne tekeningen en de gepriegelde bijschriften met aandacht, maar toch begon ze zo hevig te gapen dat de tranen haar over de wangen rolden. Van het werken in de buitenlucht werd ze bijna te moe om de twee trappen naar de zolderkamer te beklimmen.

Zodra ze in bed lag, knipte ze het nachtlampje uit: de slaap kwam vanzelf, lezen hoefde niet meer.

Anders dan meestal droomde ze niet in beelden maar alleen in geluid. Een zware, door haar hele lichaam trekkende bromtoon. Waar kwam die toon vandaan? Ze vroeg het zich niet meer af, maar gaf zich eraan over. Het was het geluid van de aarde zelf, die als een bromtol om zijn as draaide. Het klonk zo majestueus en vredig dat ze wilde dat het altijd zou duren. Waarom had ze het nooit eerder gehoord?

Nu ging het lage gonzen over in een hogere, penetrante zeurtoon. Een scheerapparaat, dacht ze, inmiddels halfwakker. Wanneer kwam Max nou eens in bed? Ze stopte haar vingers in haar oren, maar het geluid hield aan. Ze schrok pas echt wakker van het piepen van een deur. Meteen zat ze rechtop, haar hart bonkend in haar keel. Schreeuwen had geen zin, niemand zou het horen, want tussen haar tuin en die van Jan Beets lag het sparrenbos. Het voormalige pension Vreedenburg aan de andere kant mocht zolang op zichzelf passen.

Toen het bonzen van het bloed in haar oren bedaarde, luisterde ze zo goed ze kon naar het huis. Een oud huis maakt 's nachts zijn eigen, hoogst eigen muziek. Al is er weinig wind, altijd kraakt en zucht er wel iets. Maar dit kraken leek luider dan anders, regelmatiger ook. Het klonk als voetstappen over de vloer van de slaapkamer recht onder haar. Met een klap realiseerde ze zich dat ze daarnet glad vergeten was de balkondeur op eenhoog te sluiten. Naar het balkon boven de serre leidde een buitentrap, die van kort na de oorlog dateerde. Na een vuurwerkbrand die op de oudejaarsavond van '45 het balkon, de serre en een deel van de eerste verdieping had verwoest, was de oorspronkelijk houten buitentrap vervangen door een stalen exemplaar. Het balkon was gerenoveerd met volgens Addy onbrandbaar Indisch ijzerhout. Men had zijn les geleerd.

De voetstappen hielden even stil en vervolgden toen, steeds brutaler krakend hun weg. Iemand ijsbeerde, leek het, en waande zich blijkbaar onbespied. Wás het maar zo dat ze zich iets verbeeldde. Ze begon te zweten van angst. Er werd de laatste tijd vaker ingebroken in de buurt, ze zou een alarm moeten nemen. Wat was er aan buit in de vroegere slaapkamer van haar ouders? De koe-koeksklok en het hertengewei mocht hij meenemen, en het schilderij van een schaapskudde bij dreigend onweer en de kapspiegel met zwaar verzilverde lijst ook. Ver-strakt op bed zittend ging ze nog even door met haar bezwerend geprevelde aanbevelingen, tot ze opeens de buizen van de aan de slaapkamer grenzende badkamer hoorde zingen. Iemand nam een bad! Duidelijk hoorde ze nu een straal water in de emaillen kuip kletteren. Een geluid dat haar vreemd rustig maakte, het veelbelovende kraangeraas van de zondagochtend. In haar jeugd werd er in de weekends volgens een vast rooster gebaad: eerst oma Ida, dan haar inwonende zoon en schoondochter.

Een inbreker die een bad nam maakte zich wel heel kwetsbaar; ze zou zo de badkamerdeur op slot kunnen doen en de politie bellen. Nee, onwaarschijnlijk dat het een dief was. Eerder een zwerver of een patiënt uit de psychiatrische inrichting. Zo iemand zou gevaarlijk kun-nen worden als je hem aan het schrikken maakte.

Ze wipte uit bed, schoot een badjas aan, trok de cein-tuur zo strak mogelijk en strikte hem stevig vast. Op haar tenen liep ze de kamer uit en daalde, zich met twee handen vastgrijpend, bijna zwevend de zoldertrap af. Ook die kraakte, maar door het aanhoudend kraange-druis zou de insluiper haar hopelijk niet kunnen horen. Met ingehouden adem sloop ze het portaal over naar de ouderlijke slaapkamer. Op de drempel bleef ze staan. Het licht was uit maar de maan scheen naar binnen. Kleurloos licht viel op het houten ledikant, haar gestalte wierp een lange schaduw.

Abrupt viel de kraan stil. Ze maakte pas op de plaats. Geklots klonk op uit de kuip, een lichtkier onder de gesloten deur wees de weg. Ze hijgde van opwinding. De rug en billen van de insluiper knoerpten wellustig tegen het email. Nu moest ze toeslaan, de deur van de badkamer op slot draaien, de politie bellen. Ze deed een paar stappen, bevoelde de badkamerdeur onder de klink, tastte rond in het zwakke licht. Haar vingers reageerden met ongeloof. Niets, ze voelde een leeg sleutelgat. Had híj de sleutel?

Ze kon wegrennen, het huis uit, de brandtrap af. Terwijl ze stond te aarzelen voor de gesloten deur, hoorde ze het badwater hortend wegglurpen door de oude afvoerpijp. Ze rilde, hield de adem in, telde langzaam tot tien en toen nog eens tot twintig. Ten slotte won de nieuwsgierigheid het van de angst en ging ze de badkamer binnen. Wolken stoom zag ze, een beslagen spiegel, een onbekende rode handdoek op de badkamervloer. Te lang geaarzeld, in de badkuip zat niemand meer. Wat restte was een rand vuil en zeepschilfers op het vergeelde email. Waar was de bader? Verdwenen door de openslaande ramen die net als die van de slaapkamer uitkwamen op het balkon. Had hij haar gehoord? Hoe had hij weg kunnen komen zonder natte voetstappen op het linoleum achter te laten? En hoe had hij zich zo snel weten aan te kleden? Hij moest naakt met zijn kleren onder de arm het balkon op zijn gevlucht, onder dekking van de luid gorgelende afvoer. Ook zij stapte het balkon op en liep naar de buitentrap; te laat, niets te zien.

Of zat hij toch nog binnen? Ze spitste de oren, kuchte, het huis antwoordde met doodse stilte, die nog werd benadrukt door het bonken van haar hart. Ze huiverde. Beneden sloeg een raam dicht als door een plotselinge windvlaag. Toen zweeg het huis weer.

Met moeite raapte ze haar moed bij elkaar, verliet de badkamer en sloop de trap af naar beneden. Het raam van de zitkamer stond wijd open! Ze probeerde diep in en uit te ademen en alles rustig langs te lopen.

Eerst bekeek ze de schoorsteen. De kostbare Haagse Stijl-klok met de vierkante cijfers, die sinds Addy's dood niet was opgewonden, stond nog steeds op kwart voor twaalf, het tijdstip van de verwachting. Daarnaast het art-nouveaubeeld, een norse spekstenen havik, robuust als altijd. Ook de donkere schilderijen van min of meer talentvolle landschapsschilders hingen nog keurig recht op hun vaste plek. In de la van het eikenhouten buffet lag het al in geen jaren gepoetste of gebruikte tafelzilver, zo te zien compleet. Ze telde de lepels, messen en vorken na en kwam telkens uit op vierentwintig. In de serre stonden de nieuwe computer en de scanner onaangeroerd. Ook het mobieltje en de digitale camera lagen nog op hun plaats.

Bijna was ze teleurgesteld: het had iets vernederends dat ze zich zo had laten opschrikken door een zwerver die in andermans huis een bad kwam nemen. Een onbegrijpelijk snel bad, dat wel. Hij had er amper schoon van kunnen worden.

Met de stenen havik onder de arm en het mobieltje in de aanslag sloop ze de trap op. Boven ging ze eerst nog even in de badkamer kijken. Tot haar ontzetting zag ze dat het bad nu blinkend schoon was geboend. De stoom was verdwenen, de spiegel niet meer beslagen. Ook de rode handdoek was weg. Vanuit het verweerde glas keek haar spiegelbeeld haar verbluft aan. Met een dreun viel de havik op de grond. Leed ze aan hallucinaties? Was ze gek aan het worden? In paniek toetste ze Max' nummer en kreeg zijn voicemail. Moest ze inspreken dat ze spoken zag? Nee, dat was haar eer te na.

Met opeengeklemde kaken deed ze de ronde, op de eerste verdieping en beneden, en dwong zichzelf rustig na te denken. Het was onwaarschijnlijk dat buurman Beets een sleutel bezat. Zolang ze zich kon herinneren had Addy geweigerd hem te groeten omdat zijn vader NSB'er was geweest. Dan waren er nog Addy's bohemienvrienden en gunstelingen. Zouden die hier een bad komen nemen? Eigenaardig misschien, maar uitgesloten was het niet: een vriend die een sleutel had en van een gewoonterecht gebruikmaakte. Geschrokken van haar aanwezigheid was hij naar buiten gevlucht. Met deze verklaring stelde ze zichzelf voorlopig gerust.

Beneden liep ze alle ramen en deuren nog maar eens na, deed ze dicht, op slot en waar mogelijk ook nog op ketting of knip.

Omdat er, voor zover ze kon zien, niets ontbrak of was verschoven, besloot ze maar weer naar bed te gaan. Aangifte doen had geen zin zolang ze geen tastbare bewijzen had van huisvredebreuk.

Ze moest oppassen zich niet al te verantwoordelijk te gaan voelen voor Bel Air, dan had ze hier geen leven meer. Ze moest aan het werk, dat leidde af. En vooral weer onder de mensen komen. Het gevecht met de verwilderde tuin was toch niet zo'n goede therapie als ze gehoopt had. Al stonden de ontluisde dahlia's en de al bijna manshoge zonnebloemen er prachtig bij.

Ze raapte de speksteken havik op en nam hem mee naar boven. Daar zette ze hem naast het lappenkonijn op haar nachtkastje. Indien nodig kon hij als slagwapen dienen. Zodra ze in bed lag pakte ze hem en drukte hem even tegen haar lippen. Niets gestolen, geen schade, het viel mee.

Pas veel later zou ze ontdekken dat er uit de kelder drie flessen St. Emilion verdwenen waren.

De volgende ochtend vroeg deed ze nog eens de ronde door alle kamers, om nogmaals vast te stellen dat er inderdaad niets gestolen was. Wel zag ze dat de muur boven Addy's bed vochtig was. Tegen het plafond vertoonde het lichte behang een lelijke vochtplek. Dat betekende dat de onweersbuien van de laatste weken de dakgoot te veel waren geworden. Of zou de afvoer naar de regenpijp verstopt zitten?

Addy had tot op hoge leeftijd op een ladder gestaan om de goten te inspecteren, totdat Martha het haar verboden had, en daarna misschien ook nog wel. Dit kon ze niet op zich laten zitten.

Langs de aluminium ladder klom ze op het platte grinddak van de bijkeuken. Van daar af tilde ze de ladder omhoog, plaatste hem in lichte schuinstand tegen de westgevel van het huis en begon op hoop van zegen naar boven te klimmen. De welig tegen de muur op groeiende klimop en de oude regenpijp aan de gevelhoek namen de ergste hoogtevrees weg; als de ladder wankelde zou ze zich in de klimop kunnen vastgrijpen. Van dichtbij zagen de vele, sterk vervlochten aderen van de woekerplant er taai genoeg uit. De gebutste oude regenpijp vertrouwde ze minder.

Boven gekomen zag ze dat in de zinken goot niet meer dan een ondiep laagje zwart restwater vermengd met bladmoes stond. Dat leek haar normaal, maar wat wist ze ervan? Op haar lippen bijtend van weerzin haalde ze haar hand door het modderwater en voelde een slibachtige aanslag op de bodem van de goot. Goed schoonmaken zou zeker bevorderlijk zijn voor de doorstroming, maar dat liet ze toch liever aan een deskundige over. Of was dat slap? Ze voelde nog eens en tot haar voldoening haalde ze een prop rotte blaren en takjes uit de afvoer naar de regenpijp. Uit de drab in de goot viste ze nog wat twijgjes en een paar voortijdig afgewaaide eikels. Het wende al, een huis laat zich graag aanraken door goedwillende verzorgers, merkte ze. Zo ver reikend als ze kon zonder te wankelen, tastte ze naar een eventueel vogelnest, maar vond niets dan nog meer bladeren en een kleine ijzeren knoop. Een gulpknoop, zo te zien van een spijkerbroek of -hemd. Zeker van de loodgieter of van de schoorsteenveger. Of anders van de insluiper: hij was langs de regenpijp omhooggeklommen en had zich over de dakgoot heen het steile dak op geworsteld. Zo wist hij via de pannen het doorgeroeste steekraampje te bereiken en had het van buitenaf opengemaakt. Mooi bedacht, maar onwaarschijnlijk. Wie komt er nou via het dak naar binnen, als er beneden een raam openstaat? Toch stak ze de knoop in haar broekzak en daalde de ladder af.

Pas op het bijkeukendak werd ze duizelig. Ze zou toch maar een loodgieter bellen. Die kon dan meteen het dakraampje vervangen en naar de afvoer van het bad kijken.

Binnen hield ze de knoop onder de keukenkraan en bekeek hem daarna onder de bureaulamp. LeviStrauss &Co SF.CAL, stond erop. Hij droeg echte Amerikaanse Levi's.

Ze legde de knoop naast de klok op de schoorsteen en pakte het telefoonboek.

6

Toen Martha kort na de inbraak beladen met weekend-
boodschappen het hek van Huize Bel Air wilde binnen-
gaan, hield de buurman met de alpinopet en de ring-
baard van staalwol haar staande.

'Kan ik helpen dragen?' vroeg Jan Beets met een stem
als een bronzen klok. 'Als je in boeken doet ben je gewend aan sjouwen.'

Was het haar stadse wantrouwen of weerzin tegen
Beets' wel zeer kloeke postuur? Eerder tegen de alpinopet die hem het uiterlijk van een Franse wijnboer gaf. In
elk geval wimpelde ze zijn poging tot hulpvaardigheid
af met een lachend 'Nee, dank u, ik werk aan m'n condi-
tie.'

Meteen schaamde ze zich voor haar flauwe smoes,
maar Beets leek niet beledigd. 'Als u zin hebt, kom dan
eens langs voor een kop koffie. Ik ben meestal thuis.'

Van dichtbij zag ze dat hij groene ogen had met opvallend lange, donkere wimpers. Ooit moest hij een mooi
jongetje geweest zijn, maar nu was hij in de eerste plaats
te zwaar. Pas toen hij in zijn tropentempo verder slenter-
de, viel het haar op dat het wit met zwarte mopshondje
hem op grote afstand volgde. 'Lady, schiet op, stinkerd!'
brulde hij het dier toe. Maar uit onwil of onvermogen

hield Lady haar eigen tempo aan. Haar oren zaten binnenstebuiten, zag Martha. Zou dat geen pijn doen?

Nina had haar op een idee gebracht. Die middag ging ze
de zolder onderzoeken. Gewapend met een stofdoek,
een borstel, een zaklantaarn en een mondkapje beklom
ze de steile trap.

Onder het zadeldak schoten aan weerszijden van haar
zolderkamer twee driehoekige restruimten over, sleuven
die zich over de volle diepte van de kamer uitstrekten.
Aan de ene kant, waar het vuur van de oudejaarsbrand
zich in de dakkap had gevreten, zag ze dat de balken nog
steeds zwartgeblakerd waren. Ze geurden bitter, als kind
had ze er vaak aan geroken en gehuiverd bij de gedachte
aan razende vlammen en loeiende sirenes. Zo probeerde
ze zich van haar brandvrees te genezen.

De andere sleuf was gespaard gebleven. Zolang ze
zich kon herinneren was hij een bergplaats voor allerhande overschot geweest. Volgens Nina luisterden de
kinderen hier op hun buik liggend achter een stapel behangrollen en dozen naar de verboden radio. Ook Martha had zich hier vroeger wel verstopt, om in het donker
haar babypop te zogen door het bolle poppengezichtje
tegen haar ribbenkast te drukken. Of om het konijn Peter verhalen te vertellen. Ze had er haar hoofd eens zo
hard gestoten dat ze halfbewusteloos was geraakt. 'Nu
ga ik dood,' had ze gedacht terwijl ze oranje golven aan
haar gesloten ogen voorbij zag trekken. Beneden riep
oma Ida 'Martje! Eten!', maar ze kon zich niet bewegen.
Later moest ze uren op de bank liggen met natte was-
handjes op haar voorhoofd. Van het luik, dat toegang gaf

tot de zolderkamer, had ze nooit geweten. Zo heel diep durfde ze als kind niet door te dringen in het donker. Vanuit haar kamer kon je er toen al niet meer bij komen. Haar vader had de muren eigenhandig met zachtboard betimmerd en geschilderd.

Misschien zou ze haar moeders dwarsfluit kunnen vinden. Het langwerpige rode koffertje zag ze helder voor zich. De fluit die ooit zoveel had beloofd dat hij later verbannen moest worden. Uit het zicht. In een oud huis ligt veel te sluimeren dat de bewoners uit hun hoofd willen zetten. Wat niet ziet dat niet deert.

Hier, onder de dakbinten, in een ruimte zo krap dat je er alleen kruipend binnen kon komen, hadden zich in de loop van vele decennia instabiele, stoffige stapels kartonnen rollen met overgebleven behangpapier opgehoopt. Behang waar geen levende ziel ooit nog naar om zou kijken. Ook stond er een tweetal margarinedozen, waarin haar oma honderden repen stof in kleurige dessins bewaard had voor eventuele verstelwerkzaamheden.

Hurkend bij haar vondst nam ze zich voor de behangrollen een voor een te gaan bekijken. Maar eerst doorzocht ze de dozen op te recyclen ontwerpen en dessins. De honderden restlapjes, die in bosjes van twee dozijn waren samengebonden met een strook stof die te smal was geweest om er nog iets van te kunnen maken, liep ze alle op bruikbaarheid na. De zomerjurken en blouses die uit de hoofdlap waren geknipt, gespeld, geregen en genaaid op de Singer-trapnaaimachine waren lang geleden afgedankt, aan de werkster meegegeven, tot poetslap verlaagd of tot lompenpapier verwerkt. Verstoken van daglicht hadden de kleuren van de lapjes hun frisheid behouden. Ze bracht ze het ene na het andere naar haar neus om voorbije zomers op te roepen, maar wat ze rook was eerder kamfer of een zweem brandlucht. Eén strook strogele katoen toverde haar Addy's zomerjurk met de boothals weer voor ogen. De jurk waarin ze zoveel sjans had gehad.

Martha nam zich voor de luchtjes eruit te wassen en de lapjes een kans te geven op een nieuw bestaan. Ontwerpen is herschikken van bestaand materiaal, dat wist God al.

Bij het licht van de zaklantaarn en met het stofkapje voor neus en mond waagde ze zich in de sleuf met de behangrollen. Vroeger werd er niet alleen meer zelf genaaid, maar ook veel meer behangen dan tegenwoordig. Om de paar jaar werd behang verschoten geacht, het vertoonde vetvlekken waar gebrillantineerde herenhoofden de muur als steun gebruikten, roetplekken van kachels en kaarsen, of men wilde gewoon weer eens wat anders.

Nieuwsgierig maar beducht voor spinnen en dode muizen begon ze de rollen van de eerste stapel met twee, drie tegelijk naar buiten te slepen en te ontstoffen. Het dorre papier liet zich na afrollen nauwelijks pletten, gewend als het was aan zijn opgerolde staat. De naoorlogse dessins vielen tegen, beige met een wit streepje of gerstekorreltje erop, gebroken wit met een lichtbruin veegjes- of waaiertjesmotief. Geen tijd van gedurfde ontwerpen. Licht, lucht, bescheidenheid en eenvoud waren toen de sleutelbegrippen voor moderne woninginrichting. Meteen kwamen haar de grote stalenboeken uit haar vroege jeugd weer voor de geest, waaruit na langdurig en soms heftig familieberaad een nieuw behangetje werd gekozen dat het voorgaande niet te veel ontliep. Het jarenvijftigpapier, met korrel- of pukkelstructuur, deed denken aan een bord havermout van bovenaf gezien.

Op handen en knieën drong ze dieper door in ruimte en tijd. De rollen uit haar oma's dagen voelden zo mogelijk nog droger aan dan de meer recente. Behoedzaam ontrolde ze haar buit, het broze maar eigenzinnige papier met haar blote knie verhinderend weer terug te springen in de rol. Voor haar verbaasde ogen begon de romantiek aan haar zoveelste nabloei: oma Ida bleek een liefhebster te zijn geweest van poëziealbumroosjes, maar ook van oudroze theerozen op een roomwit fond.

De theerozen legde ze apart, die wekten de juiste soort melancholie van herfstige namiddagen en onbestemd verlangen. Daar kon ze mee verder. Als tegenwicht tegen de eigentijdse witte muren, als contrapunt, wilde zij nostalgie bieden, slaapkamergeluk, en deze rozen pasten goed in haar retro-serie 'Sleeping Beauty'.

Bij een tweede duik het duister in schaafde ze haar elleboog aan de ruwe vloerplanken en stootte ze haar hoofd zo hard dat ze sterretjes zag. Maar ze zette door. Op het dak vlak boven haar hoofd roffelde een zomerbui neer. Donder rolde aan. Toch lekte het hier niet, dat viel mee. Verder kroop ze, met haar rechterhand langs de ruwe planken tastend naar iets dat een luik kon zijn geweest. Ten slotte voelde ze roestig ijzer en scheen met haar lantaarn. Wat ze zag was een platte schuif. Ze wrikte en rukte eraan, sloeg erop met de borstel, maar kreeg er geen beweging in. Het luik bleef gesloten.

Een luik, Nina had niets verzonnen, ze kende dit huis beter dan zij!

Wie zoekt zal vinden. Uit de diepte van de sleuf trok ze nog een laatste rol naar buiten. Afgewikkeld liet hij een voornaam bordeauxrood met dofgoud streeppatroon zien. Niet slecht. Begerig naar meer kroop ze nog verder de tunnel in, vond geen behang meer, maar haalde, achterwaarts kruipend, een niet ingelijst olieverfschilderij van ongeveer veertig bij zestig centimeter tevoorschijn. Behoedzaam stofte ze het af. Het was zo opgedonkerd dat ze zonder bril amper kon zien wat het voorstelde. Pas onder het dakraam zag ze dat het een portret ten voeten uit was van een jong meisje. De asblonde haren hingen los over de schoudertjes. Ze droeg een mosgroene wollen cape die vlak onder de kin sloot met een band met drukknoop en lang en zwaar afhing tot op haar in kniekousen gehulde kuiten. Een bleek handje hield de openvallende cape op de borst vast, in het andere droeg ze een rieten korfje met fruit. Kniekousen en knooplaarsjes, een jeugdportret van haar oma? Van Addy als Pomona? Nee, die had als kind al zwart haar, zoals ze graag mocht vertellen.

De lichte ogen keken schuw en tegelijkertijd uitdagend vanonder fijne donkere wenkbrauwen. Wie was deze jeugdige vamp? Ze keek net zo lang tot de geschilderde blauwe ogen begonnen terug te kijken met een blik die haar een rilling bezorgde. Het doek was gesigneerd GD '41. George Duinker, 1941. Waarom lag het op zo'n rare plek? Was George er niet tevreden over geweest? Het gezicht was goed gelukt, maar het figuurtje had iets houterigs. Het leek van een foto te zijn nageschilderd en verried de zondagsschilder. Martha betastte de dof geworden vernislaag. Het was niet voor niets zo ver mogelijk uit zicht verstopt, zo diep in de sleuf dat het nooit meer iemand onder ogen zou komen. Het kon het daglicht blijkbaar niet verdragen. Toch was het niet weggegooid of overgeschilderd, dat gaf te denken.

Een goede vangst, genoeg geluk voor vandaag. Snel verliet ze de benauwde zolder, schilderij en behangrollen onder de arm.

Na de onweersbui zette onverwacht zonlicht de serre in een gouden gloed. Wisselende lichteffecten waren een beproefd middel om ideeën te krijgen en kleuren te testen, maar voor ze de rollen behang nader ging bekijken installeerde Martha zich in opa Georges rieten stoel met de gehaakte kussens, een zwaar fotoalbum op schoot, en ging op zoek. Met het schilderij van het meisje op de bamboetafel voor zich vergeleek ze de door oud licht gevangen ogen in het album met de geschilderde blik. De lichte ogen deden denken aan een jongensportret van Rimbaud.

Ze bladerde verder. Vele bekenden maar vooral onbekenden staarden haar streng of bedeesd glimlachend aan, maar al die oudooms en tantes, achterneven en nichten had ze net zo goed kunnen overslaan. Geen van de vrouwen of meisjes keek ook maar bij benadering zo sexy uit haar ogen als het meisje met de cape. Ze had ze met rust moeten laten tussen de bruine bladzijden van het album met de witte inkt, ze bewees ze geen enkele dienst met haar nieuwsgierigheid. Hoe ze ze ook aanstaarde, haar geheugen afspeurde naar anekdoten waarin ze optraden, deze doden gaven niets meer prijs dan wat ze al van ze wist. Toen ze als kind in dit album zat te bladeren hadden ze haar nog net gedoogd, nu wilden ze hun rust.

Martha voelde zich pas echt schuldig toen ze haar grootvader kerngezond, besnord en knap op zijn glad gemaaide gazon zag zitten. 'George op het gras. October 1945' stond erbij in oma Ida's spitse schuinschrift. Lange schaduwen, een zonnige herfstdag, het land was bevrijd. Het was niet eerlijk dat zíj wist wat hem binnenkort zou overkomen. Vanuit dezelfde rieten stoel als waar zij nu op zat, zond hij zijn laatste heersersglimlach de wereld in. Hij was hoogleraar geweest en dat stelde in zijn tijd nog wat voor, zoals oma Ida graag mocht zeggen. Martha wist nog iets te goed wat er op de volgende bladzijde te zien was: het familiegraf waarin zijn urn was bijgezet. 'George Rudolph Duinker 1883-1946'. Nog geen oude man. Vader van twee jongvolwassen kinderen, Frans en Addy. Bezweken aan een longontsteking in de eerste week van '46, een onwaardig einde. Penicilline had hem kunnen redden, als die toen voorhanden was geweest. Had hij een mooi leven gehad? Te vroeg geëindigd maar toch geslaagd? Ze wist niet veel van hem. Alleen de heldensagen van Ida en het bittere commentaar daarop van Addy. Die had haar vader niet gemogen en hield zich lang niet altijd aan de huiscode van respect voor zijn geleerdheid. In elk geval had hij zich goed geweerd, besloot Martha. Op zoek naar het meisje van het schilderij bladerde ze verder, en zag Georges kinderen liggend op het grasveld.

'Na je opa's dood moesten wij droog brood eten,' had oma Ida niet zonder trots verteld. 'Zuinig aan doen met zijn pensioen, want na de brand moesten de serre en het balkon vernieuwd worden.' En dat terwijl Bel Air de oorlog ongehavend doorstaan had. Het toen al oude huis, kostenpost en stofnest, wekte Ida's voortdurende ergernis, maar verhuizen naar iets kleiners was geen optie vanwege de woningnood. Bovendien was bijna alles toen nog op de bon, dus zorgen genoeg.

Maar met dat droge brood viel het zo te zien wel mee. Martha zag Frans op een paard op de hei en Addy op ski's in de bergen rondom Genève, waar ze een tolkenopleiding had gevolgd. Bevrijding, een nieuwe tijd, sport, buitenlucht, fietsen, open auto's. Wat waren broer en zus wonderbaarlijk sportief! Ze oogden sierlijk en slank. Witte tanden, glanzende haren en kuiltjes in de wang. In retrospectief was het niet meer uit te maken of ze gelukkig waren of zich zo wilden voordoen.

Addy was de populaire van de twee, de jongensgek. In haar Zwitserse jaren hing ze aan de arm van mannen die op Gary Cooper leken of anders op zijn minst miljonair waren. Op haar twintigste was ze weggelopen met de zoon van een bankier, twee jaar later was ze verloofd met een straaljagerpiloot en toen ook die niet beviel kwam ze weer thuis wonen en vond een baan in de plaatselijke bibliotheek. Toen was ze net dertig; waarom had ze zichzelf de pas afgesneden? 'Om voor ma te zorgen,' was haar standaardantwoord. Maar 'ma' was toen pas zestig.

Frans liet zich kort na de oorlog niet anders fotograferen dan in of onder zijn vaders Morgan uit '36. Pas enkele pagina's verder zag ze de staatsiefoto van hem als bruidegom die van zijn jonge vrouw wegkeek. 'We zijn getrouwd omdat jij moest komen,' had haar moeder verteld met spijt in haar stem. 'Ik was verliefd dus ik wilde je houden.' Daar moest Martha dan maar blij om zijn. Frans wond je zo om zijn vinger, was het verhaal. 'Het mooiste aan hem vond ik zijn neus.'

Ook haar ouders woonden zolang bij oma in; het huis kreeg veel te verduren.

Nog eenmaal bladerde ze het album van voren naar achteren door, maar vond nog steeds niemand die op het geschilderde meisje leek. Of het schilderij leek niet, dat kon ook. Was ze soms uit het album verwijderd? Nu Martha beter keek, zag ze dat het papier op meerdere plekken was opgeruwd, alsof er een foto was uitgescheurd.

Uit oma Ida's secretaire in de achterkamer haalde ze de 'schildpad tabaksdoos' tevoorschijn. Hierin zaten de nog oudere foto's van George en zijn familie. Algauw lag de eettafel vol met portretten, sommige nog in sepia afgedrukt. En daar, tussen de nichtjes in witte jurkjes, de kortgeknipte jongetjes in matrozenpakjes, dook ze ineens op: het meisje met de cape! Meteen zag ze dat het schilderij naar deze foto gemaakt moest zijn. Ze vergeleek: op de foto werd de achtergrond van het meisjesfiguurtje gevormd door een met klimop begroeide muur. Op het schilderij was de klimop vervangen door een roodfluwelen gordijn.

Achterop de foto stond een naam. 'Nina, 1941.' Martha keek beter: de dame uit Canada, haar tot voor kort onbekende familielid bestond!

Daar was ze dan toch, het weggemoffelde pleegkind. Hoe zat dat? Voor zover Martha zich kon herinneren was er ook door haar oma nooit over een Nina gesproken, maar in de goeie ouwe tijd liepen er zo veel kinderen in huis rond, neefjes, nichtjes, buurkinderen. Eén ding wist ze zeker: de foto die onderop het stapeltje lag had ze nooit eerder gezien. Alle andere had ze als kind een voor een mogen bekijken, als ze ze maar netjes tussen duim- en vingertoppen vasthield. De oudste foto's van Bel Air toen het nog jong was, vond ze de beste. Hetzelfde huis, maar dan argeloos en naakt, nog zonder wingerd en klimop. Dunne, jonge boompjes in de kale tuin vol ernstig poserende kinderen. Gretig had Martha naar zo veel mogelijk bijzonderheden gevraagd van al die vroegwijze wezentjes die inmiddels oud en grijs waren geworden. Of allang gestorven. Als ze op zondagochtend chocolademelk dronk bij haar oma in de serre en de verre klokken van de Opstandingskerk hoorde beieren, vond ze dat er een hiernamaals hoorde te zijn. Een hemel waarin alle mensen en kinderen uit de fotodozen en albums terecht konden.

Alleen het portret van Nina was voor haar weggehouden. Er was kennelijk iets heel erg loos geweest met het meisje met de cape. Zo erg dat ze bij haar oma uit de gratie was geraakt.

Martha deed de foto's terug in de tabaksdoos. Alleen die van Nina legde ze naast de computer op tafel en het schilderij hing ze boven de schoorsteenmantel.

Voorzichtig wikkelde ze de rol strepenbehang af, zette er een stoelpoot op tegen het terugrollen, en knipte er een stuk af om het onder de scanner te leggen. Ze moest nog bedenken hoe ze dit ontwerp met een simpel foefje tot iets nieuws en eigens kon maken.

7

Twee dagen later was er weer bericht van Nina. Martha was niet eens verrast; het was alsof ze haar had opgeroepen door aan haar te denken. Al turend naar het scherm leek het of ze in een vijver keek waarin het verleden verzonken lag.

'Uw grootvader George was een echte pater familias. Hij heeft me in het gezin opgenomen, maar een paar jaar later moest ik van hem mijn kind weg laten maken. Toen ik daar niets van wilde weten heeft hij me het huis uitgegooid. En zo zat ik vanaf september '45 op een bovenhuisje zonder vaste wastafel in Amsterdam, waar mijn zoontje op 2 november ter wereld kwam. Ik was pas achttien en van George mocht ik niet meer met Frans omgaan. Hij is me in de laatste maand van mijn zwangerschap toch nog een keer komen opzoeken, maar toen zat hij op hete kolen. Wel heeft hij aangeboden ons kind te erkennen, maar wat kon hij doen? Hij was twintig, net begonnen aan zijn studie en uw grootvader dreigde zijn maandgeld in te trekken als hij mij nog één keer zou zien. Dus hij werd verstandig, zoals dat heet. Nu ik oud ben begrijp ik dat wel, maar in die tijd niet. Dat najaar was hij opeens verloofd met zijn oude schoolvriendinnetje.

Eerst was ik radeloos, daarna woedend. Niet alleen George, het hele gezin liet me in de kou staan. En dat terwijl zij alles voor me waren. Toen heb ik gezworen wraak te nemen. Ik heb... Pardon, ik moet stoppen, mijn schoondochter komt binnen. Groeten!

N.'

Het duizelde Martha. Eerst kwam er ene Nina uit de lucht vallen en nu ook nog een zoon van haar vader! Als dat waar was, had ze een halfbroer. Ongelovig las ze de mail nog eens over. Een halfbroer, hoe zou die eruitzien? Leek hij op haar vader? Op haar? Hij was van november '45, bijna zes jaar ouder dan zij, een oude man al bijna.

Hier wilde ze meer van weten. 'Het is nogal een schok voor me dat ik een halfbroer blijk te hebben,' schreef ze terug. 'Ik ben enig kind, wat ik altijd maar eenzaam heb gevonden, dus ik zou hem zeker willen leren kennen. Hoe gaat het nu met hem? U begrijpt dat ik een en al nieuwsgierigheid ben. Ik zou u en uw zoon graag eens ontmoeten, maar u woont zo ver weg. Kunt u me misschien een foto van hem en van uzelf mailen? Dat zou ik zeer op prijs stellen. En een adres en telefoonnummer, dan bel ik u eens. En dan schrijft u over wraak. Wat hebt u gedaan om u te wreken? Mij kunt u het gerust vertellen, ik spreek niemand.

Hoe reageerde mijn vader toen het kind werd geboren? Heeft hij het nog gezien? En hoe verging het u verder?'

Nina's antwoord was er diezelfde avond nog. Ze schreef dat ze toen de baby zes maanden was trouwde met een aardige vrachtwagenchauffeur, en nog datzelfde jaar met man en kind naar Canada was geëmigreerd. Daar had ze een baan als schoonmaakster gevonden. Na de nodige avondcursussen was ze in de bibliotheek van het Museé de l'Homme in Montréal gaan werken. Sinds haar pensionering woonde ze even buiten de stad Sept-Iles in de provincie Québec. Het huwelijk had geen stand gehouden, al lang geleden was ze gescheiden. Haar zoon kon goed leren, hij had economie gestudeerd in Rotterdam. Hij voelde zich van kinds af aan meer Hollander dan Canadees. Nu was hij zakenman, reisde de hele wereld af en belde haar elke dag. Hij en haar schoondochter kwamen haar geregeld opzoeken in het revalidatieoord, waar ze tijdelijk verbleef om te herstellen van een knieoperatie.

Nu ze rust moest houden had ze alle tijd om aan Huize Bel Air te denken. In gedachten liep ze door de kamers heen met haar stofdoekenmandje. 'Dat rood met gouden strepenbehang dat u pas op uw website heeft gezet komt me maar al te bekend voor. Dat zat op de muren van uw grootvaders studeerkamer. Ik heb er vaak naar gestaard als ik bij hem op schoot moest zitten op de canapé. In die sombere achterkamer waar nooit zon komt, aan de achterkant van het huis, naast die smalle logeerkamer. Je kijkt zo de kruin van de perenboom in. Of is die inmiddels gekapt? Ik heb hier natuurlijk geen foto's van huis en tuin zoals ze nu zijn, alleen mijn herinnering. Als je oud bent komt alles weer terug. Donkerrood met gouden strepen, ik zie het zo voor me.

Ik moet oppassen, als mijn schoondochter dit leest, brieft ze het door aan mijn zoon. Vandaar dat ik dit bericht na verzending meteen ga verwijderen.

U vraagt me hoe uw vader reageerde op ons kind. Daar kan ik kort over zijn: hij heeft zijn zoon nooit willen zien.

Half december '45 liep ik hem tegen het lijf. Ik was net een maand moeder en hij was op zoek naar vertier, dat zag ik aan die blik vanonder de rand van zijn hoed. Wat moet een man anders op de Wallen? Hij was verloofd met een keurig meisje bij wie hij blijkbaar niet veel mocht. Ondanks die hoed herkende ik hem meteen.

Hij schaamde zich, ik zag hem blozen. Hij wilde zonder groeten doorlopen, maar ik greep hem bij de ceintuur van zijn winterjas. Hij bleef staan, keek me in de ogen en plotseling pakte hij mijn handen. Onze vingers haakten in elkaar en draaiden zich om elkaar heen. Toen trok hij zijn handen pijlsnel terug, stopte ze diep in zijn zakken, draaide zich om, fluisterde "so long" en beende weg.

Dat was de laatste keer dat ik hem gezien heb. Toen ik in Canada hoorde dat hij verongelukt was, ben ik wekenlang van streek geweest.

Ik kan hier nooit zo lang aan de computer zitten als ik wil. Er zijn nog meer belangstellenden. En daar komt iemand met mijn medicijnen. Ik groet u!'

8

Haar vader op de Wallen, verloofd, zijn pleegzusje be-
vallen van een kind. Het zijne? In bed lag Martha nog
lang na te denken. Dat strepenbehang in de studeerkamer, waar Nina het over had, was van ver voor haar tijd.
Zij kende het pas sinds kort, van de rol van zolder.

De perenboom was omgehakt toen ze klein was, maar
sommige bomen leven voort na hun dood: als ze zich
concentreerde kon ze zijn wormstekige vruchtjes nog
proeven.

Had ze echt een halfbroer? Wat was er waar van Nina's verhalen? Ze zou een en ander moeten gaan natrek-
ken. Maar hoe?

De volgende ochtend wist ze wat haar te doen stond.
Uit Georges gereedschapskist in de bijkeuken pakte ze
een plamuurmes en een stevige schroevendraaier met
klassiek houten handvat. Met tegenzin betrad ze de
ruimte boven de keuken aan de achterkant van het huis,
die vroeger dienst had gedaan als studeer- en rookka-
mer. Een somber vertrek waar ze zo min mogelijk
kwam. Het was er benauwd warm, maar de beide schuiframen bleken muurvast te zitten. Ze zou nieuwe raam-
touwen moeten kopen, als die tenminste nog te krijgen
waren.

Er stond een zware eiken boekenkast met glazen schuifdeuren, gevuld met een encyclopedie uit 1922 en de complete werken van Schiller en Goethe, maar vooral met vakliteratuur. De met mosgroene trijp beklede canapé, waarop Nina bij de oude George op schoot had moeten zitten, en waarin zij, Martha, zich als kind graag mocht nestelen met een bibliotheekboek, was weg. Haar oma vond het een onding. Ze wist nog dat hij werd opgehaald door mannen van het Leger des Heils. Op zijn plaats stond een smal logeerbed. Verder nog twee eveneens met mosgroene trijp beklede fauteuils en een ovaal rooktafeltje op vier korte, kromme pootjes. Het bureau dat rechts van het raam had gestaan was al in haar jeugd naar Addy's slaapkamer verhuisd. Die had er tot vlak voor haar dood aan zitten schrijven. Brieven voor Amnesty International, op haar oude dag correspondeerde ze met ter dood veroordeelden overal ter wereld.

In een achter een kamerscherm verborgen hoek van het vertrek was in de jaren vijftig voor de logés een vaste wastafel aangelegd. De dode lucht rook naar muizen, ze zou hier eens grondig schoon moeten maken. Nog beter zou ze eraan doen een werkster te nemen. Geesten hielden vast niet van stofzuigers, dweilen en ragebollen.

Even probeerde ze de kraan van de wasbak. Na het ophoesten van een straal bruinig vocht gaf hij helder leidingwater af. Ze liet de kraan lopen om de buizen door te spoelen. Op het marmeren opstandje boven de wasbak stond een dof uitgeslagen waterglas met een versleten gele tandenborstel erin naast een halflege, hard geworden tube, merk Medinos. Uit een perkamenten haarzakje naast de spiegel viste ze met van walging op elkaar geklemde kiezen een vederlichte haarbal. Peper en zout, zag ze, toen ze de korte stugge haren bij het raam bekeek. Niet van Addy, die liet zich tot het laatst zwart verven. Van wie dan wel? Oma Ida was spierwit geweest.

Ze liet de haren neerdalen in de prullenmand en liep met het plamuurmes het behang na om een plek te vinden waar het gemakkelijk los zou laten. Liefst vlak boven een plint, achter de donkerbruine cv-radiator onder de ramen of naast een deurpost. Onder de vensterbank van de linker van de twee schuiframen zag ze vlak boven de radiator een losse, opkrullende behangnaad. Behoedzaam duwend en wrikkend om zo diep mogelijk te kunnen steken, maakte ze een winkelhaak in het papier en trok zo een grote taartpunt los. Onder de bovenste laag stuitte ze al pulkend op een stuk krantenpapier met beurskoersen uit 1973, het jaar van de oliecrisis. Daaronder zat een beschaafd beige met wit streepje. Pas onder een stuk krant waarop de woorden SLACHTOFFERS OUDE TONGE in het oog sprongen vond ze dezelfde nog gave gouden en donkerrode strepen als op de rol van zolder. Kort na de Watersnoodramp van 1953 was het dus weggeplakt. Een halve eeuw lang had niemand dit kunnen zien. En nu kwam zich opeens een oude dame uit Canada melden met een perfect geheugen voor behang. Wat bewees dat? Niet meer dan dat Nina hier voor '53 wel eens in huis moest zijn geweest.

Toen ze bij het bukken om nog een randje papier boven de plint los te trekken dansende, geelgroene vlekken zag, liet ze zich met een zucht in een van Georges crapauds vallen. De zitting gaf een puf fijn stof af. Al niezend probeerde ze na te denken, maar ze werd overmand door angst dat ze aan wanen was gaan lijden. Ze moest met iemand praten, liefst nu meteen. Ze dacht aan de uitnodiging van buurman Beets. Die zou Nina vast gekend of op zijn minst wel eens gezien hebben.

Moest ze niet eerst even bellen of ze gelegen kwam? Welnee, dit is een dorp, dacht ze en rende de trap af. Zonder jas liep ze naar buiten, het was drukkend warm. Het verleden is onrein, zei ze hardop en spuwde op het gras.

9

Aan het tuinhek van villa Soli Deo Gloria hing nog steeds het smeedijzeren bord met de geschulpte rand. 'Jan Beets Bookseller'. Elke keer als Martha er langsliep viel het haar op door zijn vreemdheid. Antiquaar, had dát er niet moeten staan? Of was een bookseller iets wezenlijk anders?

Tussen zijn huis en het hare lag de vroegere kwekerij Beets als een niemandsland. In haar jeugd mocht je bij een NSB'er zeker geen kerstboom kopen. Waarom was de kwekerszoon boekhandelaar geworden?

Aarzelend liep Martha het tuinpad op. Ze keek naar de onder klimop schuilgaande villa met zijn bemoste rieten dak, hoorde geblaf, en betrapte zich op een gevoel van thuiskomen in een huis waar ze nooit eerder binnen was geweest. Nooit? Wel aan de deur. Als nieuwsgierig schoolmeisje had ze hier wel eens aangebeld met kinderpostzegels. De bewoonster, een bitse vrouw met een teckel, had geen belangstelling gehad. De moeder van Jan Beets, ongetwijfeld, maar hém kon ze zich niet herinneren. Waarschijnlijk was hij toen al het huis uit. En nu weer teruggekeerd, net als zij.

Aanbellen hoefde ze ditmaal niet, de deur zwaaide al voor haar open. De teef Lady glipte naar buiten, keek

nog even vragend achterom naar haar baas in de hoop
diens fiat te krijgen en hobbelde, toen ze genegeerd
werd, verongelijkt het ongemaaide grasveld op.

'Leuk dat je gekomen bent!' riep Jan Beets blij verrast. 'Goed dat we eens kennismaken. Buren leven maar
langs elkaar heen tegenwoordig. Hier in de wijk ken ik
alleen nog een paar oudjes. De rest is nieuw en werkt te
hard.'

Boven de broek van zijn donkerblauwe pak droeg hij
niet meer dan een verwassen onderhemd. Blote witte ge-
wichtheffersarmen, zag Martha. Had ze hem gestoord
tijdens het verkleden of scheren? Vragen of ze gelegen
kwam hoefde niet meer, met brede gebaren werd ze binnen genood.

Zelden had Martha zo'n dikke en toch zo beweeglijke
man meegemaakt. Hij wilde haar alles tegelijk laten zien,
en dat alles, wat hij liefkozend de speeltuin van zijn ziel
of zijn universum noemde, bestond uit kasten en schappen vol oude boeken met smalle looppaden ertussen.
'Zo'n tienduizend banden,' baste hij geestdriftig. 'Boeken gaan langer mee dan mensen.'

Zijn luide stem werd nu gesmoord in hechte muren
van bedrukt papier. Handgeschreven kaartjes op de
planken gaven de categorieën en de alfabetische volgor-
de aan. Maar het aantal sub- en sub-subafdelingen was
niet te tellen. Wie kon hier uit wijs behalve hijzelf, vroeg
Martha zich af, naar adem happend in de stoffige spe-
lonken.

'Krijgt u hier veel klanten?' vroeg ze, een niesbui ver-
bijtend.

'Alleen na telefonische afspraak. Ik heb een stelletje liefhebbers dat altijd terugkomt, maar dat zijn er nooit meer dan vijf per week. Verder krijg ik bestellingen van over de hele wereld. Kent u die site, antiqbooks.com? Daar sta ik op met m'n handel en dat levert soms wel zo'n zes bestellingen per dag op.'

'Dat is mooi.'

'Maar lang niet mooi genoeg. Zonder m'n AOW zou ik het niet redden. 't Blijft liefdewerk, kopergeld, maar het is wél mijn koninkrijk. Dit huis is mijn ruimteschip, mijn vliegende tapijt. Van hieruit vlieg ik naar alle werelden die ik me maar wens.' Jan zuchtte, het zweet stond hem op het voorhoofd. Toch droeg hij ook binnenshuis zijn alpinopet.

'Als ik hier ooit weg moet, maak ik me van kant,' zei hij opeens.

'Waarom zou u hier wegmoeten?'

'Omdat ik oud ben. De kruik gaat zo lang te water tot hij barst. Ik ben een drinker. Waarmee kan ik je van dienst zijn? Koffie, thee, bier, wijn?'

Een welkom aanbod temidden van die duizenden knappend droge boekenruggen en het fijne papierstof. Jan leidde haar naar een plek waar de schappen eindelijk plaatsmaakten voor een boekvrije woonkeuken, waar een formica tafel met een laptop en stapels papier, een keukenstoel, bierkratten en een aangekoekt fornuis leken te getuigen van een onvervalst vrijgezellenbestaan.

Een wasmachine stond te centrifugeren. Alle overhemden zijn blijkbaar in de was, dacht Martha. Jan moest de argwaan in haar blik opgemerkt hebben, want hij zei meteen dat er tot zijn spijt geen vrouw in huis was. 'Al heel lang niet meer. Maar ach, iemand missen is ook mooi.'

'O ja? Kan dat mooi zijn?'

'Al lezend geef ik mijn gemis een landschap,' zei hij prompt. Hij bood haar de keukenstoel en zette een leeg krat op zijn kant om zelf te kunnen zitten. 'Een landschap met bergen en wouden, waarin ik met haar kan verdwijnen. Zo kunnen we tenminste nog samen reizen.'

Ik had ook altijd met m'n ouders willen reizen, dacht Martha. 'Gelooft u dat het verleden herschreven kan worden?' Een rare vraag, die eruit was voor ze het wist. Maar Jan zat niet om antwoorden verlegen.

'Nee, het verleden ligt muurvast,' verklaarde hij. 'Alleen onze interpretatie ervan verandert met de tijd, en met de leeftijd. Zonder ons creatieve geheugen zou ons verleden een dood ding zijn. Een fossiel. Thee?'

Voor Martha iets kon zeggen schonk hij twee mokken vol, schoof haar een glazen pot met suikerklontjes toe en zei: 'Met mijn doden kan ik trouwens een stuk beter opschieten dan met de levenden. Ik moet ook wel. Ik woon hier nu eenmaal te midden van dode schrijvers.'

'Die houden zich tenminste rustig,' zei Martha. 'Maar de bejaarden niet. Sinds kort krijg ik een oude dame uit Canada binnen per e-mail, die beweert dat ze een zoon heeft van mijn vader.'

'Zo,' zei Jan. 'Dan heb je er een halfbroer bij. Het lijkt wel dat programma op de tv, met die huilende familieleden. En wie is die dame, als ik vragen mag?'

'Ze noemt zich Nina. Het is te gek voor woorden, zoveel als dat mens weet van mijn familie en van Bel Air. Het lijkt wel of ze over mijn schouder meekijkt bij alles wat ik aan het doen ben. Ik krijg er de zenuwen van.'

'Vertel!' zei Jan vergenoegd.

Martha vertelde over hun mailwisseling tot nu toe. 'Ze wil me iets opbiechten. Maar ze zegt dat haar zoon en schoondochter niet willen dat ze contact met mij heeft.'

'Hou haar toch maar aan het lijntje.'

'Het is nogal een schok als iemand wiens bestaan altijd voor je is verzwegen opeens op je dak valt. En dan suggereert ze ook nog dat ze misbruikt zou zijn door mijn opa, die ik nooit gekend heb.'

'Hoe heet ze ook alweer, zei je?'

Martha dronk Jans lauwe groene thee, keek tersluiks naar zijn rustig ademende buik onder het onderhemd en vroeg zich af hoe goed zijn geheugen was. Ze wees naar de laptop die op de keukentafel stond te zoemen.

'Zou ik hier even mijn mail mogen bekijken? Dan kan ik u meteen laten zien waarover ik het heb.'

'Ga je gang. Ik ben benieuwd.'

Met trillende vingers tikte ze provider en wachtwoord in. Veel spam en een uitnodiging voor een verjaarsfeest. En een nieuw, kort bericht van Nina: 'Leeft buurman Jan Beets van Soli Deo Gloria eigenlijk nog? Doe hem dan de groeten. Vroeger pestten we hem omdat zijn vader fout was. Het waren andere tijden, maar dat neemt niet weg dat we ons misdroegen. Wilt u mijn excuses overbrengen? Beter laat dan nooit.'

Martha kromp ineen. Weer leek het alsof Nina haar

kon zien. Bovendien was het bericht nogal pijnlijk voor haar gastheer. Ze wilde het verwijderen, maar hij kwam zwaar ademend achter haar staan en leunde, al dan niet per ongeluk, even met zijn buik tegen haar rug.

'Is het erg?' vroeg hij opgewekt. 'Je bloost ervan.'

'Dat bedoel ik nou. Alweer een bericht van Nina. Wilt u het lezen? Ze heeft het over u.'

'Interessant. Ik pak m'n bril d'rbij.' Hij las, fronste zijn voorhoofd en krabde met zijn wijsvinger in zijn baard. Toen glimlachte hij zuinig. 'Komt er weer iemand met mijn pa op de proppen! Vooruit maar, de excuses zijn aanvaard. Doe haar de groeten terug.'

Weer krabde hij in zijn baard en staarde voor zich uit. 'Nina, Nina,' mompelde hij toen. 'Een heel gewone achternaam had ze. Ik was haar bijna vergeten, want ze was te mooi voor mij. Een flirt. Ze viel ver buiten mijn bereik.'

'Nina Smit heet ze. Ze had donkere wenkbrauwen en lichtblauwe ogen,' zei Martha. 'Ik heb een schilderij van haar gevonden. En de foto waarnaar het gemaakt is.'

'Die zou ik wel eens willen zien. Kan dat?'

'Natuurlijk. Komt u vooral gauw eens langs. Mijn opa zou haar het huis uitgegooid hebben omdat ze zwanger was. Weet u daar iets van?'

'De laatste twee oorlogsjaren moest ik binnen blijven. En na de bevrijding was ze weg. Ninette, ach god, ja.'

Martha begon zich ongemakkelijk te voelen. Ze had het warm, ze rook Jans zweet. Ze zon op een nette manier om zich uit de voeten te maken, maar hij schonk weer thee bij. Voor hem was de visite blijkbaar net begonnen.

'Het ligt voor de hand dat ouden van dagen tegenwoordig gretig gebruikmaken van het internet,' zei hij. 'Ik mail zelf ook wat af. Vooral met vrouwen.'

'Hebt u wel eens een bericht van een onbekende dame gehad?' vroeg Martha.

'Nee, jammer genoeg niet, het lijkt me heerlijk. Spam met afzender Lola maak ik altijd open. Lola, zo heette mijn eerste meisje. Maar op internet zijn Lola's altijd dames die zich aanbieden. En zij is er nooit bij.'

'Ik ken maar één Lola,' zei Martha. 'Die had een artistiek wolwinkeltje in het dorp.'

'Die bedoel ik ook! Dat winkeltje heeft ze nog steeds. En nog altijd is ze even energiek en koppig in haar afwijzing van mijn persoon.' Jan Beets maakte zich breed voor een lang verhaal. Gelukkig kwam het hondje Lady Martha te hulp door het buiten op een luid blaffen te zetten. Een krolse kat jankte er als een kettingzaag tegenin.

'Dat wordt oorlog! Ik moet even ingrijpen, blijf vooral zitten.'

'Nee, ik loop met u mee, ik moet ervandoor. Ik heb nog veel te doen.'

'Als je weer eens contact hebt met Nina, bel me dan,' zei Jan bij het afscheid. 'Of stuur die mails naar me door.'

Pas toen ze allang weer thuis was realiseerde Martha zich dat ze Beets niet door haar eigen ogen zag, maar door die van haar familie. En dan vooral door die van Addy, die hem al die jaren was blijven negeren. Hoe oud moest ze worden om boven de vooroordelen van haar opvoeders uit te groeien?

Er waren er vast nog wel meer in het dorp die Beets niet groetten. Verzamelaars zijn vaak binnenvetters, maar hij was hartelijk en gastvrij. Waarom zou ze hem wantrouwen? En waarom wantrouwde ze Nina?

10

'Een flirt' had Jan Beets Nina genoemd, met die precieuze uitspraak van oude mensen wier mond meer naar het Duits staat dan naar het Engels.

Voor de oorlog was onze hele cultuur doordesemd van het Duits, zo stelde Martha zich voor. Ze floot een liedje, 'Lili Marleen'. Voor het eerst sinds ze hier weer woonde reed ze op Addy's fiets, een Gazelle met drie versnellingen, en bekeek ze het dorp vanuit een nieuwe gezichtshoek. Rijdend over het marktplein zag ze dat men alweer bezig was de kramen af te breken. Dat gebeurde hier heel wat vroeger dan in de stad.

Ze passeerde het terras van Tapperij De Houten Kop, voorheen Zum Holzkopf, de uitspanning waar haar grootvader als jongeman zijn jagersvrienden ontmoette. In de oorlog zongen Duitse soldaten uit de kazerne bij de watertoren er hun driestemmige liederen. Nu zat er ondanks het mooie nazomerweer maar één oude heer de krant te lezen. Ze onderdrukte de behoefte om aan het tafeltje naast hem te gaan zitten en ook een koffie met cognac te bestellen.

Te laat voor de markt ging ze naar Albert Heijn en laadde daar haar mandje vol groente en fruit. Ze sloot achteraan in de rij voor de kassa van een donkere jongen. Vooraan stond een man die alleen een krat pils afrekende, dat schoot lekker op. De vrouw voor haar had een volle wagen. Martha herkende haar achterkant. Sterke benen, wijd uiteen geplant, messcherpe achillespezen, hooggehakte pumps in plaats van de vroegere pennyloafers: het was Simone Thijs, haar gehaaide vriendin van het gymnasium. Nog steeds lag het asblonde haar als een helm om haar hoofd.

'Kijk eens opzij!' gebood Martha in gedachten. Simone deed het nog ook, even toonde ze een stomp neusje, nog verkort door een koket gouden brilletje. In dertig jaar geen spat veranderd, hoe was het mogelijk! Ja, die bril en die lijn naast haar mond, maar die maakten haar niet minder aantrekkelijk. Woonde ze hier nog, of weer? Nu moest Martha haar aanspreken, zoenen zelfs en dan straks samen koffie drinken op het terras van De Houten Kop. Maar ze verstijfde en voelde haar hoofdhuid prikken, ze durfde nauwelijks adem te halen terwijl Simone haar levensblije inkopen op de lopende band uitstalde. Grote zakken chips, gezinsflessen cola, kreeg ze haar kinderen op bezoek? Ze maakte een grappige toren van zes pakken koffie die prompt omviel, zodat de kassajongen lachte. Een aandachttrekster, dat was ze in de klas ook al geweest.

'Voor je blijven kijken,' beval Martha nu. Het was pijnlijk maar waar: ze wilde deze getuige van haar puberteit niet meer kennen. Ze schaamde zich. Als Simone haar aansprak zou ze zo weer in haar oude rol van underdog terugschieten. Ze wilde het rijk alleen hebben. Strak naar de grond kijkend zag ze uit een ooghoek Simone met pinpas betalen en hoorde haar de jongen van de kassa een heel fijne avond wensen. Tot Martha's opluchting verliet ze daarna de zaak zonder haar opgemerkt te hebben.

Ze nam de tijd voor het uitladen van haar mandje en vroeg zich af wie ze nog meer kon tegenkomen.

Een paar etalages verder stuitte ze op Boutique Lola. Simone was al uit zicht, maar toch stapte ze er veiligheidshalve binnen en keek rond.

Er lagen stapels handgebreide truien van zo te zien zelfgekaarde, gesponnen en geverfde schapenwol. Daarnaast berbertapijten en Marokkaanse lederwaren. Het rook aangenaam dierlijk in de kleine winkel, maar ze zou bij god niet weten wat ze hier zou moeten kopen. Lola's truien leken bedoeld voor milieubewuste mensen in zuinig gestookte huizen.

De bel had iemand in het huis achter de winkel gealarmeerd. Een levendige vrouw met stug wit ponyhaar, een zwarte linnen jurk en lila kousen kwam vragen wat ze zocht.

'Niets speciaals,' zei Martha. 'Ik kwam even gedag zeggen. Ik ben al zo vaak langsgefietst. En nu dacht ik...'

'Martha! Wat enig. Ik denk nog vaak aan Addy,' klaterde Lola, Martha's hand schuddend. 'Een dag voor ze stierf belde ze nog of ik mee ging paardrijden. Maar ik had griep. Ik zag een witte duif voor mijn raam, die daarna nooit meer is teruggekomen. Gek hè. En nu kom jij op Bel Air wonen?'

'Misschien.'

'Goh, dat is goed! Zo blijft het in de familie. Addy zou

blij zijn.' Lola klonk alsof ze voortdurend alleraange-
naamst verrast werd.

'Zat u bij mijn vader in de klas?'

'Zeg alsjeblieft je! Nee, een klas lager. Ik zat net tussen
hem en Addy in.'

'Dan moet je Nina gekend hebben. Addy's pleegzusje
in de oorlogsjaren.'

Even moest Lola nadenken, een diepe rimpel boven
haar neus. 'Nina? Nee, dat was geen pleegkind, dat was
toch het dienstmeisje.'

'Dienstmeisje? Ik dacht dat ze een oorlogswees in huis
hadden genomen.'

'O, ze kan best een weesje geweest zijn. Wacht, nou zie
ik haar weer voor me: ze was mooi, een echte jongensgek.
Zomer '45 was ze opeens zwanger. Vader onbekend. Een
heel schandaal. Toen is ze op staande voet ontslagen.'

'Ze was net achttien.'

'Waarom interesseer je je voor haar?'

Martha hield een slag om de arm. 'Ik wil haar gaan opzoeken. Ik vind dat mijn grootouders haar slecht behandeld hebben.'

'Het waren andere tijden,' zei Lola. 'En zo zielig was
ze nou ook weer niet. Nog geen jaar later trouwde ze met
een van de jongens Boon, van de garage bij het station.'

'En toen?'

'Ze emigreerden naar Canada. Dat deden er wel meer
die iets op hun geweten hadden.'

Voorlopig wist Martha genoeg. Op de valreep deed ze
Lola de zeer hartelijke groeten van Jan Beets.

'Doe ze met rente terug!'

Ze maakte een omweg over de bloeiende heide. De diepblauwe lucht, de lichtgroene berken, de onbeschaamd paarse hei, als schilderij zou het landschap lelijk van mooiigheid zijn geweest. Maar dat weerhield Martha er niet van zich te laten ontroeren door de argeloze schoonheid. Ze mocht haar vroegste natuurextase niet verloochenen. Hoe oud was ze geweest toen ze de hei als mooi begon te ervaren, in plaats van als vanzelfsprekend? Net twaalf, ze zou naar het gymnasium in Arnhem gaan en alles zou anders worden. Voor het eerst had ze haar borst voelen uitzetten van liefde voor de hele wereld.

Nu rook ze de zondoorstoofde erica en zag ze zichzelf weer fietsen met Addy. Het was een warme dag, een beetje heiig, net als nu, een zaterdag. Ze hadden een lange tocht gemaakt, helemaal naar de grafheuvels en weer terug. Addy droeg een strogele jurk met blote rug. Ze was egaal koffiebruin. Het fietspad golfde zo moeiteloos over de licht glooiende heuvels dat geen van beiden behoefte had om te praten. Hun banden snorden over het schelpenpad, de wind was gaan liggen.

Pas toen ze bijna thuis waren zei Addy dat ze even wilde uitrusten. Bij de zandverstuiving stapte ze af en gooide haar gloednieuwe fiets op de grond.

'Ga jij maar vast naar huis,' zei ze tegen Martha. 'Ma zit te wachten.'

'Moet jíj dan niet eten?'

Addy lag op haar buik in het zand, haar hoofd op haar armen. 'Nee, ik hoef niks. Ga nou maar.'

Toen Martha omkeek zag ze Addy's schouders schokken.

'Wat is er?' vroeg ze verschrikt.

'Niks.'
'Ben je ziek?'
'Ik wou dat ik dood was. Nou goed?'

Weer thuis zag ze dat ze alweer bericht had van Nina. 'Stuur die mails naar me door,' had Jan Beets gezegd, maar hem hield ze er voorlopig liever buiten. 'Emigreren, dat deden er wel meer die iets op hun geweten hadden.' Aldus Lola. Van nu af aan zou ze Nina afschermen en voor zichzelf houden. Eerst maar eens rustig uitzoeken hoe het zat met die zoon.

Ditmaal vroeg Nina vriendelijk of 'die foto met die cape' er nog was en zo ja, of Martha die voor haar kon scannen. Toen ze voor George poseerde was ze net veertien geweest, pas opgenomen in de familie. Ze was zo benieuwd hoe ze eruit had gezien toen ze 'nog onschuldig' was, schreef ze.

Waar komt de gedachte toch vandaan dat kinderen onschuldig zijn? Het leek Martha een sentimenteel cliché, ontstaan door een slecht geheugen. Ook een kind moet sociaal overleven, de kinderwereld is hard. Ze wist van zichzelf dat zíj als kind allerminst onschuldig was geweest. Ze kon zich nog iets te goed herinneren hoe ze had moeten liegen en draaien, naar boven likken en naar beneden trappen om zich staande te houden. Als haar dat voordeel opleverde had ze gewetenloos geklikt en gepest.

Nina's verzoek kon ze niet afslaan. Ze pakte de foto, keek nog even naar de onkinderlijk laatdunkende blik en legde hem op de scanner. Onschuldig? Deze veertienjarige was toen al geen kind meer, eerder een jongvolwas-

sene die de wereld tartte. Ze was haar ouders al kwijtge-
raakt en vier jaar later zou ze ook nog verbannen worden
uit het huis waar ze onderdak gevonden had. Volgens
Lola als dienstmeisje, in haar eigen versie als volwaardig
lid van de familie. Zwanger geraakt en weggestuurd.
Daarna had ze zich gewroken. Hoe? Dat kwam er nog
wel uit, hoopte Martha.

Ze zag haar vader voor zich, op een winteravond in
'45. Het land was bevrijd, maar overal rook het nog naar
armoede. Met zijn hoed over zijn ogen getrokken liep hij
over de Wallen omdat hij 'niks mocht' van zijn verloofde.
Het regende en stormde, de wind sneed dwars door zijn
jas. Ging hij echt naar de hoeren, of wilde hij alleen maar
kijken?

Nog even speelde ze met beelden en geuren uit de my-
thische jaren voor haar geboorte: bonnenboekjes, hooi-
kisten, walmende petroleumstellen en stuivende eierko-
len.

Toen tikte ze een kort briefje bij de gescande foto,
waarin ze nu ook haar 06-nummer vermeldde.

11

Wat Martha ook probeerde, de gescande foto liet zich niet versturen. Een computerstoring. Frustrerend, maar ook een goed excuus om de Compu-Quickservice weer eens te bellen. Nog diezelfde middag zou er iemand langskomen, werd haar verzekerd.

In spanning wachtte ze op de man met de lichtend blauwe ogen, maar er kwam een ander. Ze moest genoegen nemen met een minder opvallende collega die geruisloos zijn werk deed. Op zijn aanraden nam ze er ook nog een degelijk spamfilter met de nieuwste software van Google bij, waarmee je met de snelheid van het licht op je eigen harde schijf verloren gewaande bestandjes kon opsporen.

'Bestond er ook maar zoiets voor het eigen brein,' zei ze tegen de man. 'Ik kan geen namen onthouden. Hoe heette uw collega ook alweer?'

'Jaap.' De man keek teleurgesteld.

'Is hij ziek?'

'Nee, die heeft alweer ontslag genomen. Hij maakt een wereldreis.'

Reizen, dacht Martha, was dat niet iets voor haar? Het huis alsnog verkopen en een wereldreis maken? De gedachte alleen al stemde mismoedig. Nergens zaten ze op haar te wachten. Nee, dan Jan Beets: die reisde per boek.

'Hoe oud is die Jaap?' vroeg ze.

'Tegen de zestig,' zei de man, die Karel bleek te heten en een onschuldig blond uiterlijk had, met bijpassend zacht stemgeluid.

Zo oud al, Martha schrok ervan, ze had hem nog geen vijftig gegeven. Zonder bril schatte ze iedereen jaren jonger. 'Er is wel meer vraag naar hem bij onze vrouwelijke klanten,' vervolgde Karel. 'Maar voorlopig zullen ze het met mij moeten doen.'

'O. Dat zal wel lukken, lijkt me. Jaap?'

'Jaap Smit.'

Smit! Ach nee, er waren duizenden Smitten.

Zodra Karel weg was stuurde ze de foto alsnog naar Nina. Ze schreef erbij dat het haar speet dat ze er maar één had kunnen vinden en vermeldde het feit dat haar zoektochten naar foto's en dierbare voorwerpen, zoals het rode fluitkoffertje van haar moeder, vaak leidden tot heel andere vondsten dan het oorspronkelijk gezochte.

Over het schilderij boven de schoorsteenmantel zei ze niets, in de hoop dat Nina daar zelf over zou beginnen en iets meer over haar grootvader zou loslaten.

Even later ging de bel. Vanuit de serre kon ze zien dat Jan Beets en Lady op de stoep stonden. Beets droeg een bruin pakje onder zijn arm. Waarschijnlijk had hij haar ook gezien, dus ze moest wel opendoen.

Ditmaal droeg hij een wit overhemd onder een pak dat pas gestoomd leek.

'Mag ik je wat vragen? Ik ga een weekje naar Berlijn,

naar een antiquarenbeurs. Zou je die paar dagen mijn post en kranten binnen willen leggen?'

'Natuurlijk,' zei Martha. 'Gaat Lady ook mee op reis?'

'Jazeker. Zal ik je meteen de sleutel geven? Ik heb geen alarm, ik ga ervan uit dat moderne dieven niet lezen. Maar een krant die dagenlang uit de bus steekt is om moeilijkheden vragen.'

'Komt u even binnen, dan geef ik u meteen ook mijn reservesleutel. Voor als er iets is.'

Binnen legde hij het pakje op tafel. Een bruin papieren groentezak. 'Mensen met kennis, eten fruit van Dennis' luidde de opdruk. Er zat een boek in.

'Gevonden,' zei hij trots. 'Het is nog van je vader geweest. Van hem geleend en nooit teruggegeven.'

Met de Uiver naar Melbourne, heette het, Martha zag een legergroene voorplaat met daarop een grijze krantenfoto van een KLM-vliegtuig en een man die een vlag omhoog stak. Op het bruin geworden schutblad stond haar vaders naam in zijn jongenshandschrift: 'Ex Libris Frans Duinker 1938'.

Ze bedankte uitvoerig en liet hem als tegenprestatie de foto van Nina zien. Hij zette zijn leesbril op, keek en kreeg een kop als vuur. Blozen kun je niet veinzen, dacht Martha terwijl ze hem nauwlettend gadesloeg.

'Tja,' zuchtte hij. 'Ninette, ja ja. Die heb ik vaak genoeg voorbij zien lopen. Of Frans en zij waren aan het tennissen hier voor de deur. Dat kon toen, er reden geen auto's meer. Hun bal kwam weleens in onze tuin terecht.'

'Mocht u niet meespelen?'

'Nee, wat dacht je, natuurlijk niet!'

'Hebt u weleens met haar gepraat?'

'Nee. We waren toch fout. Frans en zij liepen soms ge-armd. Iedereen was verliefd of jaloers op haar. Na de be-vrijding was ze verdwenen, maar in het dorp werd er nog lang over haar geroddeld.'

'Volgens Lola van Reyssel was ze het dienstmeisje.'

'O. Ik dacht eerder een logeetje. Heb je Lola gespro-ken?'

'Jazeker. U krijgt nog de zeer hartelijke groeten.'

Weer zag Martha hem blozen. 'Moest u zich ook ver-stoppen vanwege de Arbeidsdienst?' vroeg ze gauw.

'Jawel. Maar mijn vader werd van tevoren getipt als er razzia's waren.'

'Moet u eens kijken.' Ze wees op de schoorsteen. 'Dit portret vond ik op zolder. Het is geschilderd door mijn opa.'

Jan keek aandachtig. 'Het lijkt! Wat een blik, hè. Zie je wel, ze was schandalig mooi. Maar wel een krengetje.'

Hij slaakte een diepe zucht en klopte Lady geruststel-lend op haar flank. 'Rustig maar, we gaan zo weer naar buiten.'

'Zou het mogelijk zijn dat zij een zoon van mijn vader heeft?' vroeg Martha.

'Dat moet je mij niet vragen.'

'En nu woont ze in Canada en mailt me hele verhalen.'

'De werkelijkheid bootst de verhalen na,' verklaarde Jan Beets. 'En andersom. Ik zou haar graag nog eens te-rugzien. Heb je een foto van hoe ze nu is?'

'Daar heb ik om gevraagd, maar ik heb nog niets ge-kregen.'

Lady trok aan Jans broekspijp. 'We moeten ervan-door,' zei hij. 'Tot mijn oprechte spijt.'

Hij had nog bestellingen af te werken en een koffer te pakken. Martha beloofde zijn kranten en post elke dag binnen te leggen.

'Hebt u nog planten die water moeten?' vroeg ze.

'Nee, bij mij groeien alleen stapels boeken en die passen op zichzelf.'

12

Boeken passen op zichzelf, maar planten niet. Het weer sloeg om, het werd herfst, het blad viel af en de tuin bleef voor veel werk zorgen. In de kille motregen tastte Martha rond in het glibberige dahlialoof, nog altijd bang in een naaktslak te grijpen. Van rubberhandschoenen hield ze niet, bij alles wat ze aanpakte wilde ze voelen wat ze deed.

Voor de eerste nachtvorst moesten de knollen eruit. Er bloeide nog een enkele pompoendahlia, al was de kleur door vocht of gebrek aan zonlicht opgedonkerd tot een dof wijnrood. Ze knipte ze af en legde ze voorzichtig in het gras. De bemodderde knollen, die ze ervan verdacht zich ondergronds vermeerderd te hebben, groef ze met een riek tevoorschijn en taste ze met loof en al op in de kruiwagen.

Even strekte ze haar pijnlijke rug, snoof de geur van nat gras op en keek de tuin rond. De zonnebloemen lieten hun hoofden hangen, de gele kelkblaadjes waren uitgevallen, argeloos toonden ze hun zwarte hart. Alleen de hoogopgeschoten chrysanten bloeiden nog, wit en hoopvol.

Het was als een afscheid, dit jaarlijkse uitgraafritueel, een groet aan de doden. Maar wie er ook dood was, Nina niet! Al voortzwoegend door de perken dacht ze aan het heksje van het schilderij. Het meisje op wie iedereen verliefd of jaloers was geweest. Reden genoeg om haar dood te zwijgen.

Zou Nina hier net zo hebben staan zwoegen als zij nu? Kon ze maar één minuut in haar schoenen staan!

Nadat de dahliaknollen een paar dagen binnen gelegen hadden, vond Martha ze droog genoeg om de aarde eraf te borstelen. Ze haalde de tenen mand uit de kelder, legde de knollen een voor een met het vergeelde loof er nog aan te rusten en wenste ze een goede winterslaap toe. Nu ze alleen woonde ging ze meer en meer tegen de dingen praten. Vooral planten leken dat te waarderen. Ze voegden zich willig naar haar handen.

In de kelder keek ze gewoontegetrouw naar de rij wijnflessen in het rek. In één oogopslag zag ze dat er een paar ontbraken. Bij het natellen bleken het er inderdaad nog maar tien te zijn. Wie had die gestolen? Geen twijfel aan, de insluiper! 'Proost,' zei ze hardop.

Onzeker als ze was in plantenzaken, keek ze nog even op internet. Google wist antwoord op bijna al haar tuinvragen. Onder 'dahlia's' vond ze onder meer een hongerwinterrecept voor dahliaknollensoep, te maken met een ui, twaalf geschilde, versnipperde knollen en dertien liter water.

Toen Martha voor haar werk een paar dagen in de stad moest zijn, begon ze Bel Air te missen. Het was geen tijdelijk adres meer, maar een plek om thuis te komen. Tijdens haar afwezigheid legde Jan Beets post en kranten keurig op het dressoir in de gang.

Bij thuiskomst merkte ze dat het huis haar eindelijk begon te accepteren. De akoestiek was minder hol, de linnenkast- en de wastafelspiegels raakten gewend aan de nieuwe bewoonster. Ze schrok niet meer van het beeld dat ze terugkaatsten, al zag ze soms even, dwars door de vrouwengedaante heen, het meisje van vroeger opdoemen.

Bij het opruimen van de slaap- en logeerkamers die tot rommelhokken waren verworden hoopte ze nog steeds iets tastbaars van Nina terug te vinden. Iets handgeschrevens liefst, al was het maar een boodschappenlijstje. Zakken vol modetijdschriften vond ze, vrouwenagenda's en een rijbroek van Addy, stapels brieven van haar vele vrienden en vriendinnen, maar geen letter van Nina.

Aan de oude kammen, haarspelden en borstels was niet meer te zien wie ze gebruikt had. Het speelgoed en de kleren waren al naar het Leger des Heils gegaan. Wel vond ze in Addy's kamer nog een tennisracket in een klem, met een rafelig gat in de bespanning van uitgedroogde kattendarmen. Dit racket kende ze. Als kind had ze er eindeloos mee staan oefenen tegen de blinde muur van de bijkeuken. De kale oude bal had niet goed willen stuiteren op het mulle zand. Toch haalde ze hoge scores. Al slaande werkte ze zich in een roes van toekomstige glorie; later, op de baan zou ze ontdekt worden en dan kwam Wimbledon vanzelf.

In een muurkast stond haar vaders gitaar, waar nog één enkele stalen snaar op zat. Eens had hij haar drie akkoorden geleerd, die ze vergeefs had geoefend met te korte, zere vingertjes. Behoedzaam nam ze de klankkast met een vochtig doekje af en zette hem weer terug op zijn plaats.

Van opruimen kwam niet veel terecht. Afgezien van tijdschriften met ezelsoren kon ze niets weggooien. Als ze zich hier definitief wilde vestigen zou ze hulp moeten inroepen om grondig te schiften, of het pand was gedoemd een museum te worden. Voorlopig liet ze alles maar bij het oude. Ze dweilde en stofzuigde om de meubels heen.

Ook op zolder zocht ze verder naar sporen van Nina. Daar stond Georges oude hutkoffer, nog onaangeroerd. Ze sleepte het gevaarte uit zijn donkere hoek vandaan om het onder het zolderraam grondig te kunnen doorzoeken.

Al voor ze het deksel had opengewrikt wist ze weer dat hierin de kerstversiering bewaard werd. Doos na doos, gevuld met in vloeipapier verpakte, nog glanzende pieken en met kaarsvet bevlekte ballen haalde ze tevoorschijn. Weer voelde ze in haar vingertoppen de schroom en het diepe respect waarmee ze de ballen als klein kind had aangeraakt. Alsnog weggooien wat ooit zo kostbaar was geweest zou heiligschennis zijn. Al die stille dingen in dit huis droegen betekenissen die zij als enige op de wereld kon duiden, voor ze tot naamloos stof zouden weerkeren. Zij als enige? Nee, zij en Nina, natuurlijk. Nina was getuige en poortwachteres van het schemergebied van voor haar geboorte.

De inhoud van de hutkoffer stelde teleur, er was weinig bij wat Martha nog niet kende. Oud engelenhaar waaraan ze haar vingers openhaalde, houten kandelaars, verantwoorde Noorse kerststerren van blank riet. Maar onder de dozen vond ze een stugge canvas plunjezak, met daarin een aluminium veldfles, een zakmes en een opgerolde mosgroene slaapzak die een geur van herfst afgaf. Pas toen ze hem uitrolde, zag ze dat het geen slaapzak was maar een cape. Die kende ze! Dezelfde die Nina droeg op het schilderij boven de schoorsteenmantel. Ze legde hem om haar schouders om zijn zwaarte te voelen en maakte een paar danspassen. Haar grootvader had Nina getooid met zijn oude jagerscape, omdat jagen hem gelukkig maakte.

Nina had zich trouwens al in geen weken gemeld. Zelfs geen mailtje om te bedanken voor de foto. Ze zou toch niet ziek zijn?

Martha vouwde de cape weer op, schoof hem terug in de plunjezak, sloeg het stof van zich af en liep naar beneden, naar de computer. Misschien had haar aandringen op telefonisch contact Nina afgeschrikt. Of de schoondochter lag weer dwars, dat was waarschijnlijker.

Op goed geluk tikte ze de naam 'Smit' in en kreeg een lijst van maar liefst 2493 Smitten te zien waarvan genealogische gegevens beschikbaar waren. Geen beginnen aan, maar tuk op een foto bleef ze doorklikken.

Vergeefs. Met branderige ogen van al die familiekiekjes met kinderen en kleinkinderen, katten en honden, van al die gezellige mensen die zo trots waren op het feit dat ze bestonden en van een Drentse hoefsmid of voc-scheepssmid afstamden, ging ze toen maar op zoek naar een telefoonnummer. nismit was Nina's e-mailnaam. Ze had succes, er bleek inderdaad een N. Smit in Sept-Iles in de provincie Québec te wonen, wist ze even later. Sept-Iles, een plaatsnaam uit een liefdesliedje.

Opgewonden noteerde ze adres en telefoonnummer. Zodra Nina weer thuis was uit dat revalidatieoord zou ze haar bellen. In het ergste geval kreeg ze dan de schoondochter aan de lijn. Of de zoon. Intussen realiseerde ze zich dat ze geen haar beter was dan al die anderen die het net afstroopten op zoek naar een belangwekkende voorvader. Waarom? Zou het idee dat een bonte stoet voorouders je opwachtte de dood aantrekkelijker maken?

De telefoon ging. Het was Jan Beets.

'Kun je even langskomen?' vroeg hij. Zijn stem klonk hees.

'Wat is er?' vroeg Martha geschrokken. 'Voel je je wel goed?'

'Ik moet je wat vertellen.'

– 14 –

Jan Beets en Martha hadden niet alleen elkaars sleutels voor als een van hen paar dagen weg moest, maar ook voor 'als er iets was'. En nu was er voor het eerst iets. De blaffende Lady van zich afduwend slalomde Martha zo snel ze kon tussen de boekenstellingen door naar de keuken. Geen Jan.

'Is baasje boven?' vroeg ze op haar hondentoontje. Lady ging haar kwispelstaartend voor naar het portaal. Ditmaal zat er één oor binnenstebuiten, zag ze, maar ze liet het zo.

Jan Beets was al tot halverwege de trap afgedaald. Zijn kimono viel open en toonde een pronte buik. Ze keek hem recht in zijn derde oog, de donkere navelput. Toen pas zag ze zijn wasbleke gezicht en ze schrok. 'Je bent ziek! Waarom blijf je niet in bed?' Ze hoorde dat ze klonk als een moeder tegen een lastig kind.

'Omdat ik geen slaap meer heb. Laten we in de keuken gaan zitten. Daar is het warm.' Hij strikte de kimono dicht en rilde. Martha zag dat hij zijn kiezen op elkaar moest klemmen om niet te klappertanden van de koorts.

'Stom, ik had een griepprik moeten halen,' zei Jan Beets. Er was nog steeds maar één stoel. De hond lag opgekruld in zijn mand, Jan en Martha zaten op kussens op de keukenvloer met hun rug tegen de verwarmingsradiator aan. Buiten was het waterkoud, een natte wind blies de bladeren van de takken. Vanaf de vloer keken ze door de beslagen ruit van de achterdeur naar de donkere boomsilhouetten tegen de jagende grijze wolken.

'Ik heb last van weerkerende dromen,' zei Jan. 'En met koorts worden het nachtmerries.' Hij schraapte zijn keel en trok aan zijn baard. 'Daar moet ik iets over kwijt. Het spijt me, het is geen opwekkend verhaal. Ik had me al zo vaak voorgenomen eens met Addy te gaan praten, maar dat heb ik voor me uitgeschoven tot het te laat was. En nu zit jij hier.'

'Ik luister.' Martha nam een slok oude thee met suiker en citroen uit de thermoskan. De thee was lauw geworden en Jan rook naar zaad. Of was het stijfsel van zijn nieuwe kimono?

'Je weet toch van de brand in jullie huis?' vroeg hij.

Martha knikte. De brand was het eenzame hoogtepunt uit de verder nogal vlakke geschiedenis van Bel Air.

'Je bedoelt met oudejaar '45? Dat was lang voor mijn geboorte. Er werd altijd raar over gedaan. Als ik ernaar vroeg werd er gauw overheen gepraat.'

'Je opa was alleen thuis. Hij ging nooit mee naar de kerk, dus ook niet naar de oudejaarsdienst. De rest van de familie wel. Hij zat in bad met de radio aan.'

'Hoe weet je dat?'

'Dat heeft hij mijn moeder verteld. In het ziekenhuis. Zij was namelijk meegegaan met de ambulance, want er was verder niemand thuis bij jullie. Dus vergat ze de brouille.' Jan schraapte zijn keel en sloot zijn ogen. 'Je opa zei dat hij opeens rook onder de deur door zag komen,' vervolgde hij met zachtere stem. 'Toen hij de slaapkamer binnen keek zag hij de gordijnen en het vloerkleed branden. Hij probeerde nog te blussen met natte handdoeken, maar dat haalde weinig uit. Dus schoot hij een kamerjas aan en stapte met z'n blote voeten zo uit het badkamerraam het balkon op. Maar ook daar was vuur. En de buitentrap stond ook al in de fik. Dus sprong hij, hij was sportief. Vlak voor hij sprong zag hij door de rook heen iemand het pad van de kwekerij afrennen, richting Mauvelaan. Iemand met een muts, volgens hem.'

Ook Martha sloot haar ogen en zag de oude man van het brandende balkon springen. 'Twee gebroken ribben en een kapotte enkel,' vulde ze aan. 'Hij leek er weer bovenop te komen, maar een week later stierf hij aan een longontsteking. Daar werd altijd bij verteld dat penicilline hem het leven had kunnen redden. Jij hebt hem gekend, wat was het voor een man?'

'Voor mij was hij een held,' zei Jan beslist. 'In de tijd dat Frans en Addy me pestten met m'n vader gaf hij me een Keltische munt voor m'n verjaardag.'

Opgewonden gooide hij zijn mok om. 'Dus hoe kwamen ze erbij dat ík die brand zou hebben aangestoken?'

Martha schrok. 'Mij is altijd verteld dat het een verdwaalde vuurpijl was.'

'Wie weet? Maar ze moesten zo nodig een schuldige hebben. En die was gauw gevonden. Ik was de eerste verdachte. Toen ik die avond door de kwekerij naar de hei liep om naar het vuurwerk te kijken, zag ik vlammen op jullie balkon. Meteen ben ik naar huis gerend. En toen heeft mijn moeder de brandweer gebeld en is ze gaan helpen.'

'Heb jíj iemand zien wegrennen?'

'Ja, die figuur met die muts heb ik ook gezien. Maar er kwamen wel vaker jongens op de kwekerij om kerstbomen te jatten. Door de afstand heb ik hem niet goed kunnen zien.'

'Ben je ondervraagd door de politie?'

'Jazeker. Alles wat ik zei werd uitgetypt. Maar ze moesten me laten gaan. Gebrek aan bewijs. En ik droeg geen muts, maar een pet.'

'Dus jij was de enige verdachte?'

'Ja, de andere jongens waren te ver weg, op de hei.'

'Je had de schijn tegen.'

'Voor hun was ik stront omdat m'n vader vastzat. Van ellende was ik gezakt voor m'n eindexamen. Addy is me altijd scheef blijven aankijken. Zelfs een groet kon er niet af.'

'En mijn oma?'

'Die groette nog wel. Die meende zeker te weten dat George gerookt had in bed. Nogal vreemd, want daar was geen enkele aanwijzing voor. En als je in bad rookt krijg je echt geen brand. Maar zij was ervan overtuigd dat het Georges eigen schuld was. Zoals álles altijd zijn schuld was.'

'En zodra hij dood was gaf ze zijn spullen aan het museum,' zei Martha. 'Opgeruimd staat netjes. Werd er naar haar geluisterd?'

'Nee. Iedereen in het dorp was er opeens van overtuigd dat ík het gedaan had. Terwijl de zaak was geseponeerd. Foute ouders, fout kind. Mensen praten elkaar na. En dat is met de jaren niet veranderd. Alleen beginnen ze zachtjesaan uit te sterven en hun verdenking sterft met ze. Maar dat is voor mij niet erg bevredigend.'

'Jezus, Jan! Je had toch kunnen verhuizen? Waarom ben je nooit weggegaan uit deze slangenkuil?'

'Ik heb dertig jaar in Engeland gezeten, ik had een antiquariaat in Hay-on-Wye. Maar ik kreeg heimwee. Ik hou van dit huis en je leert vergeten.'

Hij hijgde, er piepte iets in zijn borst. 'Sorry,' zei hij. 'Ik moet even gaan liggen.'

Meteen sprong Martha op om te helpen, maar Jan gebaarde haar te blijven zitten. Tot haar schrik draaide hij zich op zijn rug. Uitgestrekt op het zeil van de keukenvloer lag hij zwaar te ademen.

'Geef me maar een glas water.' Hij dronk gulzig uit het aangereikte glas.

'Zo beter?'

'Nee. Er ligt een steen op m'n borst.'

O jezus, dacht Martha en zag Addy voor zich. Het hart! Als er toen iemand in de buurt was geweest had ze het misschien gehaald.

'Ik bel 112,' zei ze zo resoluut ze kon. Trillend op haar benen liep ze naar de telefoon, maar Jan protesteerde hevig.

'Niet doen! Dit heb ik vaker. 't Is zo over.'

Hij bleef liggen hijgen alsof hij net een zware kast had verplaatst. Toen trapte hij zijn pantoffels uit, trok met een zucht zijn knieën naar zijn kin, sloeg er zijn armen omheen, greep zichzelf stevig bij de polsen en rolde als een hobbelpaard op en neer over het zeil. In plaats van beleefd weg te kijken zag Martha hoe zijn onderbroek strak trok in zijn bilspleet. Een sumoworstelaar, soepel als gummi, want ondanks de harde vloer leek de oefening hem goed te doen. Na een paar minuten stond hij weer op zijn benen en kondigde grimmig aan dat hij het schrift ging pakken.

'Welk schrift?' Hij bleef Martha verbazen.

'Wacht maar.' Even later kwam hij aanzetten met een verschoten blauw schoolschrift met ezelsoren. Op het etiket stond in rond handschrift: UITVINDINGEN VAN DE MENSHEID.

'Hier,' zei hij en hij gaf het haar opengeslagen in handen. 'Dit vonden ze verdacht.'

Martha las. 'De Chinezen hadden al vuurwerk toen wij nog in dierenvellen liepen. Toen hadden ze al buskruit. Dat wordt gemaakt van 75 procent kalisalpeter, 10 procent zwavel en 15 procent houtskool. Vuurpijlen gaan met zwart buskruit. Bij feestvuurwerk moeten er koolstofkorrels en ijzervijlsel aan toegevoegd worden. Die gaan dan gloeien en dan krijg je een mooie vonkenregen.'

Aldus de jeugdige Jan Beets. Verder werd in het schrift de werking van de V2-raket beschreven. En nog veel meer bijzondere zaken.

'Dit heeft de politie bij huiszoeking in beslag genomen,' zei Jan. 'Maar ik kreeg het weer terug, want kruit hebben ze bij mij thuis niet kunnen vinden. Ik had ook nog een apart scheikundeschrift met formules en proefjes, dat ze daar hebben gehouden. Gelukkig had ik geen eigen lab in de schuur, zoals een vriendje van me. Als ze iets dergelijks hadden gevonden had ik gehangen.'

Hij gaapte, de yogaoefening had zijn werk gedaan.

'Gaat het weer? Kan ik nog iets voor je doen?'

'Nee. Dank je voor het aanhoren.'

'Begrijp je dat ik wil uitzoeken hoe het echt gegaan is?'

'Je doet maar. Mij heeft het al goed gedaan dat ik mijn hart heb mogen luchten.' Hij gaapte weer, de ontspanning won terrein.

'En nu moet je naar bed,' zei Martha. 'Mag ik je uitvindingenschrift lenen?'

'Neem maar mee. Je mag het houden.'

Voor het tuinhek stond Jans twintig jaar oude VW-bus geparkeerd. Als hij naar een boekenbeurs in het buitenland ging zat Lady op de passagiersstoel, op haar eigen platte kussentje. Martha dacht aan Max' Ford Transit waarin ze meubels vervoerden en haar adem stokte.

Elke vrouw wil een rijdend huis, dacht ze, maar Jan leek geheel zelfvoorzienend. Ze keek het schemerige interieur van de bus binnen. De achterste stoelen waren verwijderd. Veel ruimte voor boeken. Een butagastoestel, een koekenpan, een matras met opgerolde slaapzak, een paar oude houten groentekisten.

Ze legde haar hand op de doffe, donkerrode lak en stelde zich voor dat zij tweeën, met hond, door het besneeuwde Midden-Europa reden. Zij zou eieren bakken op de gasfles.

15

De herfst won terrein, maar de laatste blaadjes van de eiken bleven koppig hangen.

Na de storm liep Martha op kaplaarzen over de hei, die ze met zijn paarsbruine najaarskleur mooier vond dan in volle bloei. De gifgroene, vochtdoordrenkte mossen, de lange gele halmen dor pluimgras, het enkele bloedrode blaadje aan een braamstruik, de dennensilhouetten tegen de lichte lucht, alles getuigde van vergankelijkheid... Ze werd sentimenteel, ze zou de berkenstammetjes willen aaien om ze te troosten. Niets en niemand mocht meer sterven, vond ze. Ze liet zich achterover vallen op de verende heidestruiken en keek in de lege, waterblauwe lucht, tot haar ogen begonnen te tranen.

IJl in het hoofd stond ze op, stak haar handen diep in haar jaszakken, trok haar schouders op en rende naar huis, naar de zoveel overzichtelijker hemel van haar beeldscherm.

Eindelijk was er weer bericht van Nina.

Of Martha haar gemist had, vroeg ze. Ze was weer thuis na de revalidatie, het ging haar niet slecht, al keken de meubels en de kat haar stomverbaasd aan. Haar schoondochter had hulp geregeld en een computer gekocht, die haar zoon gebruiksklaar had gemaakt. In het revalidatieoord had ze leren internetten en nu was ze trots als een schoolkind dat pas kon lezen en schrijven. Er was een wereld voor haar opengegaan. Ze bedankte voor de foto van haar 'oude, onschuldige' zelf, voor haar het tastbare bewijs dat ze ooit welkom was geweest in Huize Bel Air.

Verder werd Martha gewaarschuwd voor Jan Beets. 'Een achterbaks ventje dat altijd naar me stond te loeren vanachter de kerstbomen.'

Ten slotte schreef ze nog iets over haar dagelijks bestaan. Sinds haar pensioen leefde ze voor haar kat en voor haar tuintje met Hollandse boerenkolen. 'Mijn uitzicht is me zeer lief. Wat is er mooier dan een kale, vers omgeploegde bietenakker waarboven de kraaien rondcirkelen onder weidse luchten? Het is geen uitzicht voor melancholici, dat begrijpt u. Maar ik ben een buitenmens in hart en nieren, ik hou van ruimte om me heen. Aan de oostelijke horizon zie ik bij helder weer de bergen.

Schrijf me gauw eens wat over uzelf, dat zou ik zeer op prijs stellen.'

'Achterbaks ventje'. Opvallend hoe smalend Nina schreef over een man die de pech had gehad de zoon van een NSB'er te zijn. Alsof alles gisteren gebeurd was, in plaats van meer dan een halve eeuw geleden. In haar beleving speelde tijd blijkbaar geen rol.

Opeens kreeg Martha een ingeving. Die wegrennende figuur met die muts, over wie Jan Beets het had, kon

net zo goed een meisje zijn geweest. Een meisje van achttien dat was verbannen naar de stad. Met een zoontje dat
niet had mogen bestaan. Ninette, Nina, ze had eerder te
veel motieven dan te weinig. En ze moest hebben geweten dat de oude Duinker alleen thuis was. In dat geval
zou ze Jan Beets juist dankbaar moeten zijn dat hij de
aandacht van haar had afgeleid... Maar dit voerde te ver,
voorlopig was het zaak Nina te vriend te houden. Ze wilde nog zoveel van haar weten.

Nu moest ze iets over zichzelf gaan schrijven, maar
wat? Iets waarmee ze vertrouwen wekte: zou ze zich pre-
senteren als vrolijk en sociaal, in het bezit van een boeien-
de vriendenkring? Voor hetzelfde geld kon ze zichzelf
neerzetten als rusteloos en wankelmoedig, weggevlucht
uit een goede baan, daarna weggelopen uit de zaak van
haar vriend, te jong om oud te zijn, maar ongeschikt voor
het uitgaanscircuit. Hopelijk normaal overkomend, maar
zonder dat iemand het wist in het verborgene niet goed
snik.

Nee, dat omgeploegde bietenveld met die rondcirke-
lende kraaien erboven zou niets voor haar zijn. De hei
was haar al te leeg, de hemel was er te groot. Zij had toch
liever de bomen en heesters van de tuin om zich heen en
een buurman binnen bereik.

Het was verbazingwekkend hoe zij in korte tijd meer
om Jan Beets was gaan geven dan om al haar andere
vrienden samen. Die man had geleerd zijn eigen geluk te
fabriceren, dwars tegen de verdachtmakingen en vooroordelen van de goegemeente in. Dat was respectabel.

Meteen zette ze zich aan haar computer, maar de
woorden waarmee ze Nina tot meer openhartigheid zou

kunnen verleiden wilden haar niet te binnen schieten. Ze had even geen zin om partij te kiezen voor haar en tegen Beets.

16

Die nacht droomde Martha dat ze met Jan Beets lag te vrijen. Afgezien van handdrukkken en een enkele schouderklop hadden ze elkaar nooit aangeraakt, en nu opeens lagen ze samen in bed! Ze kreeg de tijd niet om te bedenken wat ze ervan vond, want onverwachts wentelde hij zich van haar af en ging op zijn rug liggen uithijgen. Toen ze zich tegen hem aan wilde drukken, duwde hij haar zwijgend weg. Ze durfde hem niet meer aan te raken, zijn grote lichaam was alweer verboden terrein.

Nu zweefde ze boven hem. Vanaf plafondhoogte zag ze hem liggen op het hemelsblauwe hoeslaken, naakt op zijn rug, benen gestrekt naast elkaar, armen wijd gespreid als een zwaarlijvige Jezus aan een onzichtbaar kruis. Zijn ogen waren gesloten, een traan gleed over zijn wang. Wat een kitsch, dacht ze. Halfwakker probeerde ze de droom een nieuwe wending te geven. Nu dobberde ze rond in een roeiboot. Nina, in haar meisjesgedaante van Ninette, zat op het bankje in de punt. Ze droeg een badpak, haar dunne witte benen hield ze opgetrokken, knieën tegen de kin, armen er stijf omheen geslagen, alsof ze haar borst wilde beschermen. Zwijgend keek ze naar haar tenen, grote druppels lekten uit haar natte haren.

Zacht klotste het water tegen de bodem van de boot. Martha keek verschrikt om zich heen en zag dat de riemen ontbraken. Het was nacht. Ze dreven midden op een zwart meer, boven hun hoofd was een mistige sterrenhemel, de oevers waren niet meer te zien. Nina zat nog steeds onbeweeglijk naar haar tenen te staren. Om beurten over een van beide boorden hangend probeerde Martha met haar handen peddelend vaart te maken.

Met pijnlijke armen schrok ze wakker en meteen ergerde ze zich aan de symbolen van onmacht. Wist haar droombrein niks beters te verzinnen? Ze had riemen nodig, dat was duidelijk. Zoals het nu ging, kreeg ze geen greep op het verleden. Nina hield iets achter en Jan Beets misschien ook wel. Daar zat ze met twee oude mensen die elkaar wantrouwden. Wel waren ze de enige getuigen van wat zich hier voor haar geboorte had afgespeeld. Ze moest verder, maar hoe? Zoals Nina haar meisjesfoto had willen hebben om dichter bij zichzelf van voor haar verbanning te komen, zo wilde zíj terug naar de jaren voor het ongeluk van haar ouders. Door hier te wonen kwam ze er zo dicht bij als ze kon, liep eromheen, schurkte ertegenaan, om te ontdekken dat ze zich niet meer kon verplaatsen in degene die ze toen was geweest. Een kind van negen was een ander, leerde ze, iemand met wie ze zich als volwassene nauwelijks meer kon vereenzelvigen, al had dat kind nog zo veel sleutelervaringen opgedaan die haar latere leven zouden kleuren. Van dat kind kon ze al dan niet houden, al naar gelang haar stemming van het moment, maar wat er écht gebeurd was viel grotendeels buiten het bereik van haar geheugen.

Luisterend naar de stilte in huis hoorde ze haar oren suizen. Nu dacht ze weer dat ze stemmen hoorde in de kamer onder de hare. Om ze beter te kunnen verstaan drukte ze haar oor tegen de matras. Op haar zij liggend concentreerde ze zich. Het klonk alsof er onder haar een ruzie plaatshad. Een vrouwenstem schoot onbeheerst de hoogte in, ze onderscheidde de woorden 'val dood!' Het aanvullend mannengebrom was onverstaanbaar. Het werd zwakker, het viel weg, de man haalde blijkbaar bakzeil, een deur sloeg dicht, voetstappen klonken op het portaal, iemand denderde de trap af, de voordeur viel in het slot. Beneden haar huilde een vrouw met onregelmatige uithalen. Had ze gedroomd? In dit huis werd ze 's nachts weer een angstig kind. Steeds opnieuw moest ze zich ervan overtuigen dat haar ouders geen ruzie meer konden maken omdat ze dood waren. Ze bleef luisteren, nog altijd hoorde ze voetstappen. Op het balkon? Ze sprong uit bed, sloop de trap af en legde haar oor tegen de slaapkamerdeur.

Er brandde licht, zag ze aan de kier onder de deur. Ze dacht de trucs van haar verbeelding inmiddels te kennen: ze had ergens vergeten het licht uit te doen, radio of tv uit te zetten, ze had een kraan laten lopen of een raam niet goed afgesloten en meteen ging haar brein met die gegevens aan de haal en maakte het verhaal langs de bekende lijnen af. Desondanks vergde het moed om de slaapkamerdeur wijd open te gooien. Ze knipperde met haar ogen tegen het witte licht van de plafonnière. Het bed lag opengeslagen, zag ze. Had zíj dat gedaan? Ze dacht toch van niet.

Het viel haar op dat het onderlaken over de volle breedte gekreukt was, alsof er twee mensen hadden liggen vrijen. Ze slikte haar weerzin in, bracht haar neus naar het beddengoed en meende iets te ruiken.

In de badkamer liet ze haar vingers langs de binnenkant van de kuip gaan. Geen zeepaanslag, wel was een van de badhanddoeken enigszins vochtig.

Zoekend naar meer sporen liep ze de hele bovenverdieping na, maar vond niets bijzonders. Terug in de slaapkamer liet ze zich moedeloos voor het ledikant op de grond zakken en leunde tegen de houten ombouw. Ze was een rechercheur van niks, nog geen haar had ze gevonden. Of toch wel, een haarbal in een perkamenten zakje, die ze meteen had weggegooid. En deze zomer had ze een gulpknoop uit de dakgoot gevist. Maar die kon best van Addy zijn geweest, die liep zo vaak in broeken.

Door het raam zag ze de maan vlak boven de sparren van de kwekerij hangen. Buiten hoorde ze iemand zingen, een hoge ijle stem. Ze liep het balkon op en boog zich over de balustrade om te kijken. De kale eiken baadden in maanlicht, even kraakten de takken op de nachtwind. Toen zweeg de tuin weer.

Op haar nachtkastje zag ze het uitvindingenschrift van Jan Beets liggen. Ze sloeg het open, dwong zich tot concentratie en las zijn lemma over de piramides: 'De grootste piramide is die van Cheops. Hij is van massief graniet en gebouwd in plusminus 2600 voor Christus. De zijden zijn 230 meter lang en hij is 146 meter hoog. Tot de bouw van de Eiffeltoren was hij het hoogste gebouw van de wereld en een van de Zeven Wereldwonderen. Vroeger is hij sneeuwwit geweest, want ze zetten platen kalksteen op de buitenkant en die maakten ze glad. En op de top plaatsten ze een punt van goud of elektron, dat is een mengsel van goud en zilver. Helemaal middenin is de grafkamer voor de farao en zijn schat uitgehakt en daaronder is het graf van de koningin, maar dat is een leeg graf. Zij ligt in haar eigen piramide. Ook is er een luchtkanaal en er zijn expres valse toegangstunnels gemaakt om de grafschenners te misleiden. Veel dieven vonden de verstikkingsdood in doodlopende tunnels. Nog steeds gaan er mensen die in de piramide zijn geweest dood aan geheimzinnige ziektes. Dat is de wraak van de farao.'

Zo leerde ze nog eens wat; van die schitterende punt van goud of elektron had ze nooit geweten. Ze stelde zich de jeugdige Beets voor als een boekenjunk die op rommelmarkten drie geleerde boeken voor een gulden kocht.

Voor ze het schrift weglegde las ze onder G ook nog zijn commentaar op grafheuvels.

'Dat zijn ronde heuvels uit de Steentijd en de Bronstijd die van stenen of plaggen zijn gemaakt. Daarin liggen de doden begraven. Soms zijn ze verbrand en dan gaan ze in een urn. Om de heuvel heen was vroeger een krans van palen en een greppel. Meneer Duinker en Frans hebben munten en bronzen sieraden gevonden in een grafheuvel in Limburg. Die zijn nu in het Muzeum in Leiden.'

Het Muzeum. Getroost viel ze in slaap.

De volgende ochtend lag er naast de spekstenen havik op de schoorsteenmantel in de woonkamer een donkerrood, langwerpig pak. Het was niet groot, maar toch ook niet zo klein dat ze het de vorige avond over het hoofd kon hebben gezien. Behoedzaam sloop ze dichterbij, luisterend of het pakket geen geluid voortbracht en herkende haar moeders dwarsfluitkoffertje waarnaar ze al maanden op zoek was. Stoffig was het niet, het donkerrode leer glansde dof, maar de beide fijne koperen slotjes gingen stroef open. 'Fa. Pleizier N.V. Utrecht', las ze op het gouden etiketje aan de voorzijde van het deksel. Het voorname, dieppaarse kunstbont vanbinnen, dat ze als kind zo graag mocht bevingeren, leek nog zo goed als nieuw. Daarin verzonken lag de zilveren fluit, in drie delen uiteengeschroefd, bedachtzaam te glanzen. Vaak had ze geprobeerd hem een klank te ontlokken, maar meer dan het ruisen van valse lucht had ze niet voortgebracht.

Haar moeder was de beste leerling van een bekend fluitist. Ze was zelfs op de radio geweest, onhoorbaar, ze had de blaadjes van zijn partij mogen omslaan.

Waar kwam die fluitkoffer opeens vandaan? Ze ging ervan uit dat de insluiper hem daar had neergelegd, maar hoe kon hij weten dat zij hem overal had gezocht? Blijkbaar wilde hij laten zien dat hij macht over haar had, hij daagde haar uit. Wat kon ze doen? Ze begon een beleid uit te stippelen. Als ze hem negeerde zou hij roekelozer worden, zodat ze hem op een dag te pakken zou hebben. Toch hield ze ernstig rekening met de mogelijkheid dat hij niet meer was dan een product van haar overgeprikkelde fantasie. Hallucinaties verdwenen pas als je ze koel tegemoet trad. Komt tijd komt raad. Overal waren verklaringen voor.

Resoluut klapte ze het koffertje dicht en legde het naast de dossiermap 'Nina', waarin ze haar uitgeprinte e-mails bewaarde.

17

'En werpt den onnutten diensknecht...' De volgende nacht werd Martha wakker met de stem van oma Ida in haar oren. De slepende stem waarmee ze elke zondag aan tafel uit de evangeliën voorlas. 'En werpt den onnutten dienstknecht uit in de buitenste duisternis: daar zal weening zijn en knersing der tanden.' Net als vroeger vereenzelvigde Martha zich moeiteloos met de onnutte dienstknecht, of in haar geval dienstmaagd, die haar talent in de aarde had begraven. Ze was allang niet meer gelovig, maar het besef dat ze tekortschoot was altijd springlevend gebleven. Ze had niet voldaan aan de verwachtingen van haar familie. Daarbij was ze er nog steeds van overtuigd dat iedereen behalve zij wist waar het in het leven om draaide. Al die mensen die de radio en de televisie volpraatten wisten iets, waarnaar zij op haar leeftijd niet meer durfde vragen. Als ze dat wel deed zouden ze haar uitlachen: 'O, wíst je dat nog niet?'

Omdat de lettertjes van het zakbijbeltje te klein bleken voor haar vermoeide ogen, liep ze naar beneden en klom op een stoel om uit de kast van oma Ida de in donkergroen leer gevatte Statenbijbel te pakken. Het boek was samen met het vuistdikke *De klop op de deur* van Boudier-Bakker verbannen naar de bovenste plank en te oordelen naar de verstoffing in geen jaren meer ingekeken. Addy was bij nader inzien vrijzinnig protestants geworden en dan kon je alle Bijbelverhalen symbolisch opvatten of rustig vergeten.

Niezend veegde ze het boek met haar onderarm af en sloeg het open. Op het vergeelde schutblad was de inkt van haar oma's vulpen al sterk verbleekt. Ze hield het onder de schemerlamp en zag in keurig maar moeilijk leesbaar schuinschrift de namen, geboorte-, huwelijks- en sterfdata van haar familieleden staan. Het eerst viel haar oog op haar eigen naam: Martha Duinker, 21 juli 1951. Er was geen ontkomen aan, ze bestond. Als lid van een clan, al had ze zichzelf nooit zo willen zien.

Bij het lezen van de sterfdatum van haar ouders, de dag van het ongeluk, 12 augustus 1960, voelde ze niet veel meer. Die dag was zo vaak in familieverband herdacht dat het een rituele datum was geworden, net als Bevrijdingsdag.

Addy's sterfdatum was niet ingevuld, zag ze nu, net zomin als die van oma Ida zelf. Sinds Ida de boekhouding niet meer bijhield was de familiegeschiedenis zuchtend tot stilstand gekomen. Sinds die dag was iedereen onsterfelijk en dat moest maar zo blijven.

Ze bladerde door de evangeliën en vond een potloodstreep in de marge van Mattheüs 25, vers 29 en 30. Het stond er nog steeds in al zijn simpele wreedheid. 'Want een iegelijk die heeft, dien zal gegeven worden, en hij zal overvloedig hebben; maar van dengene die niet heeft, van dien zal genomen worden ook wat hij heeft. En werpt den onnutten dienstknecht...' Ze las ook de voorgaande verzen en bleek het verhaal nog te kennen. De knecht die vijf talenten had gekregen, had ze vermeerderd tot tien; ook degene die er twee had ontvangen, wist ze te verdubbelen voor zijn baas. De stakker die met één enkel talent was afgescheept had het, bang het te verliezen, in de grond verstopt. Verstandig? Nee hoor, integendeel. De onnutte werd inderdaad 'uitgeworpen in de buitenste duisternis'.

Nina! bedacht Martha, haar hebben ze eruit gegooid. De analogie was niet overtuigend, maar voor Martha voldoende betekenisvol. Dromen willen nu eenmaal geduid worden en dan kijkt men niet zo nauw.

Toen ze het boek terug wilde zetten, dwarrelde er een krantenknipsel uit neer. Het was een geboorteadvertentie uit *De Gelderlander*. 'Geboren 2 november 1945: Jacob, zoon van Nina Smit,' las Martha verbluft. Niet voor niets was de annonce uitgeknipt en bewaard. Weliswaar mochten de namen van moeder en kind niet in de familiebijbel worden bijgeschreven, volgens oma Ida hoorden ze er toch een beetje bij. Nina Smit, ongehuwd moeder, had de geboorte van haar zoon trots aangekondigd in de krant. 'Zie je wel' leek de vergeelde advertentie te zeggen. Nina had niets uit haar duim gezogen. Stukje bij beetje werden zij en haar zoon van fantomen tot levende mensen. Martha legde het knipsel in de map 'Nina' naast haar computer en begon te tikken. Bij haar was het nu drie uur 's nachts, maar ze zou misschien nog op zijn en nog even in haar postvakje kijken.

Ze feliciteerde Nina met haar terugkeer in eigen huis en vermeldde het zojuist gevonden krantenknipsel. 'Mijn oma was blij voor u, anders had ze die annonce echt niet uitgeknipt en bewaard in haar bijbel. Net droomde ik dat ze uit de evangeliën voorlas. Ze had zo'n lage stem die je aandacht afdwong. Al zette je je schrap en dacht je nog zo hard aan iets anders, je onthield wat ze zei. Ze was een rechtlijnig type, dat zeker. Wat er ook gebeurd mag zijn, zíj bleef op u gesteld.

Als ik me uw uitzicht voorstel zie ik roodbruine, glooiende akkers, met hier en daar nog wat spikkels geel van vergaan bietloof. De kraaien als zwarte punten tegen een lichtende lucht. Omdat ik Canada niet ken neem ik een Noord-Frans landschap in gedachten, maar dat zal wel niet kloppen met de werkelijkheid.

Ik zou u graag eens willen komen opzoeken om met u over mijn vader te praten. Hij was uw eerste grote liefde, maar ook voor mij was hij de held voor wie ik door het stof ging. De hele dag liep ik me voor hem uit te sloven. Maar als ík ging graven op de hei vond ik nooit eens een potscherf en als ik door zijn kijker keek zag ik geen zeldzame vogeltjes, maar vage vlekken. Mijn vader was stoer, hij hield van snelheid. "In een auto beleef je de tijd anders dan op je autoped," zei hij. "Hoe sneller je je voortbeweegt, hoe langzamer de tijd gaat. Als je in een raket zit die met de snelheid van het licht door het heelal vliegt, slaat je hart maar eens in de honderd aardjaren." Was dat waar? Ik geloofde hem onvoorwaardelijk. Als enig kind ga je je aan je vader en moeder spiegelen in plaats van aan leeftijdgenoten. Zo vond ik mezelf maar een sul, vergeleken bij mijn begaafde ouders. En zo ben ik mezelf blíjven zien, ik heb een knechtenziel, nog steeds laat ik me door willekeurig wie imponeren, nog altijd ben ik onder de indruk van wie of wat zich met aplomb aandient. En nog steeds gebruik ik anderen, die alles beter zouden weten, om fijn achter weg te kruipen. Vandaar dat ik nu eindelijk alleen probeer te wonen, om te kijken wat ik waard ben zonder mijn vrienden. Maar nu ben ik weer de slaaf van Bel Air, met al zijn herinneringen en spullen die ik niet weg kan doen. Hier ben ik vlak bij mijn ouders, maar hoe ze klonken, roken en aanvoelden, dat kan ik alleen nog maar reconstrueren. En dan wordt het fictie.

Sorry voor deze uitweiding, maar alleen ú kunt me helpen om van mijn vader weer een mens van vlees en bloed te maken, in plaats van een held uit een kinderdroom. Het kleine beetje dat ik nog van hem weet, moet ik zien los te trekken uit het web van anekdotes van mijn oma en mijn tante.

In uw eerste mails had u het over wraak. Wat bedoelde u daar toch mee?

Zou ik uw zoon Jacob niet eens kunnen ontmoeten? Hij reist veel voor zijn zaak, schreef u. Zegt u hem vooral dat hij hier altijd welkom is.

Voor u geldt dat natuurlijk ook. Maar ik ga niet aandringen, ik kan me ook voorstellen dat u hier nooit meer terug wilt komen. Schrijft u me maar of en wanneer het u schikt, dan kom ik naar u toe.

Hartelijke groeten en verdere beterschap.'

Ze had er rekening mee te houden dat Nina's zoon en schoondochter over haar schouder meelazen. Die mochten vast niet weten dat Nina met herinneringen aan of fantasieën over wraak rondliep. Toch drukte ze op de verzendknop.

– 18 –

Nu ze alleen nog voor zaken in Amsterdam kwam, vond
Martha de stad weer net zo opwindend als toen ze er
lang geleden met haar moeder ging winkelen, met een
bezoek aan Artis toe.

Forens zijn beviel haar wel, de stad zien door het oog
van de passant, met het luchtige idee er vlug weer weg te
mogen. Wat ze miste waren de avonden: naar de film
met Max, de gele lantaarns die zich spiegelden in de
grachten. En de stadsbomen. Door in alle seizoenen
naar de bomen en de lucht te kijken had ze zich los kunnen denken.

Maar op Amsterdam CS groeiden geen bomen en die
maandagochtend was het er onverwacht druk. Martha
had al nooit goed tegen drukte gekund en door het buiten wonen was haar weerstand nog verder verminderd.
Steeds meer zag ze de stad als het toneel van een auditie:
je kwam op, werd bekeken en al dan niet uitgekozen voor
het grote populariteitsspel.

Haar trein stopte op het laatste perron, ver buiten het

westelijke einde van de derde overkapping. Ze moest een heel eind terug het station in om bij een trap te komen.

In een poging de rij waarvan ze deel uitmaakte te ontstijgen, keek ze door een vuile glazen wand links van haar over het grijze IJ, waar meeuwen over het water scheerden. Daarna naar rechts, waar de TGV klaarstond om weg te spuiten naar Parijs. Frankrijk was vlakbij, dacht ze in een poging zichzelf af te leiden. De laatste jaren met Max had ze de band met het land waar haar ouders waren verongelukt versterkt. Vaak hadden ze er rondgereden met de Ford Transit om op vlooienmarkten en afgelegen boerderijen betaalbaar antiek in te kopen.

Nog steeds voortsjokkend in de onontkoombare rij stelde ze zich een weids Noord-Frans landschap voor, waar de huizen een goed karakter hadden. De paar lelijke mochten niet meedoen, net zomin als de banlieues en de communes fortifiées rond Parijs. Je eigen selectie uit de werkelijkheid maken, daar kwam het op aan.

Nu perste ze zich samen met tientallen anderen een smal trapgat in en daalde tree voor tree de stenen trap af. Intussen moest ze gewoon blijven doorademen en het achterhoofd van het blonde meisje voor zich in de gaten houden. Zolang ze dat niet uit het oog verloor was ze veilig. Een mooi achterhoofd was het, met lang, zijdezacht haar dat zich over een zwartfluwelen mantelrug vlijde. Een meisje dat pianoles had. Of nee, vioolles. Wonderlijk hoe de meisjes jaar in jaar uit mooier werden.

In de drukke tunnel raakte Martha haar kwijt en probeerde meteen een nieuwe gids te vinden. Ze koos een Aziatisch meisje op hoge hakken, ragdun als een wajangpop, maar ook dat ontglipte haar algauw weer. In deze toestand van inzoomen op kleuren en details werd ze veel te kwetsbaar. Te sterke indrukken konden evengoed voorboden van extase zijn als van angst. In haar hoofd zou een spamfilter geïnstalleerd moeten worden om uit de stortvloed van prikkels de bedreigende te zeven.

Nerveus navigerend door de mensenmassa botste ze tegen een man met een weekendtas op. 'Sorry,' zei ze en ze wilde verder lopen naar de uitgang. Toen zijn blik de hare kruiste sloeg haar hart over. Ze herkende hem niet direct, omdat ze hem hier niet verwachtte. IJsblauwe ogen, schichtige blik. Meteen draaide hij zijn hoofd weg, trok zijn schouders op en liep haastig verder. Ze keek hem niet meer na. Dit was iemand die haar nadrukkelijk niet had willen zien.

Ze kon hem pas plaatsen toen hij allang in de menigte verdwenen was: de man die haar ADSL had aangelegd! Zat die niet in het buitenland? Misschien was hij ziek geworden.

En waarom had hij dwars door haar heen gekeken?

In de loop van de dag werd ze rustiger omdat ze veel te doen had. Toen ze tegen vijven de antiekzaak van Max kwam binnenwaaien om haar ontwerp voor een catalogus te laten zien, was hij verguld. Hij haalde Bossche bollen voor bij de thee en praatte honderduit. Na sluitingstijd wilde hij iets met haar gaan drinken, wat ze beleefd weigerde. Het leek wel of hij zich voor haar uitsloofde!

'Je ziet er goed uit.'

Ze knikte. 'Ik ben veel buiten.'

'Nee, echt goed, bedoel ik. Ontspannen, gezond.'

'Ik ben anders nogal moe.' Eigenlijk wilde ze weg. Max' winkel die naar meubelwas, lijm en oud hout rook maakte haar wankelmoedig. Ze miste hem, maar meer nog zijn handel. Aandachtig bekeek en betastte ze het eiken buffet met etagère dat ze al van zijn website kende. Max had het uit een restaurant in Maubeuge weggehaald omdat de zaak daar moest sluiten. Ze zag de stapels borden en de blinkend opgewreven wijnglazen voor zich, de bestekladen vol hotelzilver. Overal werd opgeruimd en gerenoveerd en de verweesde meubels zwermden uit naar de huizen van de rijken waar ze buiten hun vertrouwde context moesten gaan pronken. Misschien had ze er toch goed aan gedaan Bel Air intact te laten.

Max drong aan. 'Kom, één wijntje, dat kan toch wel?'

'Ik moet de trein van half zeven halen. Ik heb een afspraak.'

'Met wie? Ken ik hem?'

'Nee, maak je geen zorgen. Hij is in de zeventig.'

'Zo!'

'Het is een schatje.' Martha hoorde zichzelf klinken als de wereldwijze vrouw die ze niet was. Wat Jan Beets ook mocht zijn, hij was zeker geen schatje. Het woord alleen al! Hij was eerder eigenaardig en smoezelig, maar zodra ze aan hem dacht wilde ze weer bij hem in de buurt zijn. Meestal was het genoeg om 's avonds even langs zijn huis te lopen en licht te zien branden achter het keukenraam. Zijn zwaarte was haar plechtanker, zo zat het. Als hij een paar dagen weg was, doolde ze doelloos door de lanen van het dorp. Zonder hem was de villawijk een decor voor een afgelaste voorstelling.

Het bleek onverwacht prettig om Max jaloers te zien.

Dus vertelde ze nog het een en ander over Jan Beets, over Nina en haar zoon.

'Als die Nina inderdaad een zoon van je vader heeft, heb jíj een halfbroer met een claim op de helft van je villa, weet je dat wel?' waarschuwde Max bij hun afscheid.

'Ja, maar wat doe ik daaraan?'

'Advies inwinnen. Je indekken, een advocaat nemen. Je kunt een DNA-verwantschapstest laten doen. Daarmee kun je eventueel uitsluiten dat hij familie is.'

'O,' zei Martha overdonderd.

'Ik zou maar eens op internet kijken.'

Max zag haar nog steeds voor halfzacht aan, dat was wel duidelijk, dacht Martha toen ze die avond haar sleutel in de voordeur van Bel Air stak. Als ze hem ook nog zou hebben verteld over de insluiper, had hij haar helemaal onverantwoordelijk gevonden. Was ze het wel waard erfgename te zijn van zo'n mooi huis?

Met haar jas nog aan startte ze haar pc en tikte het woord 'verwantschapstest' in. Wel twaalf laboratoria boden zich aan, telde ze. Ze klikte op het eerste, 'Consanguinitas'. Voor 259 euro maakten ze een DNA-analyse, discretie verzekerd. 'Tevens wordt met deze test de half-sibling-index (halfbroer/halfzus) bepaald', las ze. 'Hoe hoger deze index, hoe hoger de waarschijnlijkheid dat er sprake is van een gemeenschappelijke vader en moeder, dan wel een gemeenschappelijke moeder óf vader.'

Waarschijnlijkheid, geen honderd procent zekerheid...

In haar mailbox vond ze een bericht van een zekere Jacob Smit. Smit? De zoon van Nina!

Had Max gelijk, kwam hij met een claim? Martha begon te klappertanden alsof ze koorts had. De angst die de hele dag op de loer had gelegen greep haar alsnog in haar nek. Met trillende vingers opende ze het bericht.

'Mag ik u dringend verzoeken mijn moeder, mevrouw Nina Smit, voortaan met rust te laten?' schreef Jacob. 'Ze was erg van streek door uw laatste brief. In haar huidige toestand moet u haar niet lastig vallen met vragen over het verleden. Ze is net weer thuis na een vervelende operatie en meer nog dan vroeger geneigd zich dingen in het hoofd te halen. Dus nogmaals, laat u haar met rust. Mijn moeder leeft in een fantasiewereld, u doet er verkeerd aan op haar waanideeën in te gaan. Ik reken op uw medewerking. Bij voorbaat dank. Hoogachtend, Jacob Smit.'

Jacob was dus helemaal niet uit op haar huis. Hij was alleen wat al te bezorgd over zijn oude moeder. Had ze iets geschreven dat Nina van streek had gemaakt? Ze was zich van geen kwaad bewust. Wat kon Jacob ertegen hebben dat zijn moeder met haar correspondeerde? En al leefde ze in een fantasiewereld, wat dan nog?

Arme vrouw, dacht Martha, voor gek versleten, afgesneden van haar verleden, geen eigenares meer van haar eigen leven. Zíj had haar zeker niet vreemd gevonden. Eerder strijdbaar. Ze herinnerde zich hoe Nina tijdens haar verblijf in het revalidatieoord had geklaagd: 'Wie oud is wordt van alle kanten aangepraat dat hij/zij bezig is zijn verstand te verliezen.'

Jacobs mail stuurde ze door naar Jan Beets, ze maakte een print en stopte die in de map 'Nina'. Daarna las ze haar mails nog eens door op tekenen van falende verstandelijke vermogens. Wat had ze een oude actrice laatst ook alweer horen zeggen op de radio? 'Ik heb geen goed, maar een gelukkig geheugen. Het zift de nare dingen eruit.' Hoe zat dat bij Nina? Die had een uitstekend geheugen voor details. Maar dat zei niets, daarom kon ze nog wel fabuleren.

'Nu ben ik oud en de waarheid wil naar buiten' had ze geschreven. Je kon zo'n keurige dame toch niet laten zitten met een bezwaard geweten? Haar behoefte aan oprechtheid mocht je niet afdoen als een kwaal, als een 'zich dingen in het hoofd halen'.

Nu was ze te zenuwachtig om Nina te bellen, dat kon ze beter morgen doen. En meteen ophangen als Jacob of de schoondochter opnam. Eerst goed bedenken wat ze zou gaan zeggen, haar niet aan het schrikken maken.

Als die zoon niet geboren was, zou de geschiedenis heel anders gelopen zijn, bedacht ze. Dan had Nina op Bel Air kunnen blijven en was ze misschien wel met haar vader getrouwd. Maar dan was zij, Martha, er weer niet geweest om dit te bedenken.

19

Buiten vielen dunne sneeuwvlokjes, de eerste van het seizoen. Ze hechtten zich aan de windzijde van de kale stammen en takken, die zwart afstaken tegen de rossige hemel. Het grasveld begon al wit te kleuren.

Martha zat aan haar werktafel in de serre waar het eigenlijk te koud was. Ze zou Nina moeten bellen, maar dat schoof ze voor zich uit. De gedachte dat ze Jacob aan de lijn zou krijgen maakte haar kopschuw.

Buiten zag ze de aarde oplichten en de hemel langzaam donkerder worden. Het diapositief van de alledaagse wereld.

De sneeuw werkte archaïserend. Ze liet de beelden komen; ze voelde pijn en geluk dwars door elkaar. Ze zat, zes jaar oud, ingepakt in een jas, das en muts op een slee die met een touw aan de bagagedrager van haar moeders fiets was gebonden. Haar moeder fietste, fier rechtop in haar duifgrijze mantel, de slee gleed door de besneeuwde lanen van de buurt. Er was nog niet gepekeld, alles was doordringend wit en stil. Af en toe viel een kleine lawine met een geruisloze plof van een te zwaar beladen boomtak. De fietsbanden knerpten en de ijzers van de slee slisten zacht door het nog rulle wit.

Op de slee achter haar moeders fiets; meestal was dat

het grootste geluk. Nu had Martha pijn, al gaf ze geen kik. In het speelkwartier was ze door een jongen uit de hoogste klas omver geduwd op de glijbaan en haar pols was rood en gezwollen. De vlijmende pijn trok door tot in haar schouderbladen. Alle kinderen hadden school, behalve zij. Haar moeder bracht haar naar het ziekenhuis in Oosterbeek.

Voor de nog met de hand bediende spoorbomen moesten ze lang wachten op een goederentrein, een stoptrein en na vijf minuten weer een goederentrein. Terwijl Martha op haar wanten zat te bijten om niet kleinzerig te zijn, hoorde ze de sirene van een brandweerauto naderen.

'Als de brandweer nou ook op de treinen moet wachten, gaat dan het hele huis van die mensen afbranden?' vroeg ze aan haar moeder, die met de teen van een frivool bontlaarsje op de stoeprand steunde, klaar om bij groen licht weg te spurten.

'Welnee, het is maar een oefening,' antwoordde ze zonder om te kijken. Eindelijk gingen de bomen open en reden ze verder, over de grijze pekelprut tussen de rails.

In het ziekenhuis zou Martha's rechterarm tot aan de oksel in het gips verdwijnen.

Ze schrok op omdat haar been sliep. Ze rilde, de kou van de serre was in haar getrokken. Ze wilde haar moeder bedanken, maar die was nergens.

Als troostprijs kreeg ze opeens een helder, zonovergoten herinneringsbeeld van haar moeder in badpak, zonnebadend op een smal, stoofheet IJsselmeerstrandje. Er lag bouwpuin op het zand, bakstenen, een geblakerd stuk hout. Schelpen vond je er niet.

De zee, die al zoveel jaren geen zee meer was, kabbelde lusteloos. Het water, traag door slierten spinazieachtig zeewier, kwam niet hoger dan Martha's vijfjarige knieën, hoever ze ook liep naar de blinkende horizon, waar water en lucht opgingen in één duizelingwekkende flonkering.

Mugjes dansten in wolken boven het lauwe water en kriebelden aan haar gezicht. Moedeloos waadde ze weer terug naar het strand waar haar schepje en emmertje lagen te wachten. Haar moeder lag op haar buik, de grote blote rug glom van de zonneolie. Martha stond lang naar haar te kijken. Ademde ze nog wel? Ze lag zo stil, misschien was ze wel dood. Ze pakte een warme baksteen in haar beide handjes, liep met kleine stappen op de moeder toe en liet de steen toen boven de glanzende rug los.

Happend naar adem schoot de moeder overeind, greep de steen en keek ongelovig naar het kind dat het hoofd liet hangen. Zodra ze weer lucht had begon ze het uit te schelden en om de oren te slaan: 'Wat doe je nou! Wou je me vermoorden?'

De middag was bedorven. Kwaad kleedde ze zich aan, een rood-wit gestreepte zonnejurk over het nog droge badpak, sleurde het krijsende kind mee naar haar fiets, die tegen een prikkeldraadhek leunde.

'Als jij zo'n zware steen op je rug had gekregen was je dood geweest,' zei ze.

Martha schrok van de onaangediende herinnering. Een losse scherf was het, zo eentje waarvan nooit meer te achterhalen viel waarvan hij deel had uitgemaakt, tenzij er nog meer van zouden opduiken. Had ze haar moeder echt willen vermoorden? Zomaar, in een impuls? Haar motief, zo het er ooit was geweest, hield zich schuil in de tijd.

Had Nina haar grootvader vermoord? Zomaar? In een impuls?

20

Peinzend over Nina liep Martha de kasten nog één keer na op tekens van haar jaren in dit huis. Een weggestopt schilderij, een foto: er moest toch meer zijn?

Op de gang boven bedacht ze dat ze de muurkast met de spelletjes nog niet systematisch had doorzocht, omdat de stapels bord- en kaartspelen, die er hoog in lagen opgetast, haar aan regenachtige zondagmiddagen herinnerden. Kwartetten en ganzenborden onder strenge regie van oma Ida; het was niet eens ongezellig geweest, maar ze kon er niet aan terugdenken zonder een brok in haar keel te krijgen. Waarom huilen om Mens Erger Je Niet? Al die spellen en blokkendozen, die soms nog van haar grootvader waren geweest, hadden hier al die jaren vergeefs liggen wachten op kleinkinderen. En er was er maar één geweest die daarvoor had kunnen zorgen. Of nóg een? Jacob Smit? Sinds ze hier woonde had ze meer compassie met dingen dan met mensen, en dat was pervers.

Onder in de kast vond ze, stevig verpakt in kranten, twee paar goed ingevette schaatsen. Haar houten noren, die nog van haar vader waren geweest en de nog oudere Friese doorlopertjes met opkrullende punt waarop ze het geleerd had. De noren kon ze laten slijpen, van nieuwe linten voorzien en er zo op wegrijden. Dankzij het vet was het leer van hiel- en teenbandjes soepel gebleven. Ze rook aan het oude tuigleer, aan de ijzers, en liet de verschoten oranje met grijs gestreepte linten door haar vingers gaan. Voor het onderbinden moest je je wanten uitdoen en met koude vingers de linten zo strak als maar kon aantrekken, of een vriendje vragen te helpen strikken. Dan nog zaten ze vaak te los, alleen haar vader kon ze echt stevig vastmaken zodat ze niet gingen zwikken. Even zag ze zichzelf weer zitten aan de kant van de ijsbaan, en keek haar vader, die voor haar neerhurkte op het ijs, op zijn kruin. 'Zitten ze zo goed?' vroeg hij.

Maar het was een reconstructie, dit beeld, zoals zoveel herinneringen, want ze had geen idee meer hoe zijn hoofd er van bovenaf had uitgezien. Bovenaanzichten van hoofden staan zelden op foto's. Een vals beeld, dus ook het bijbehorende sentiment was vals, besloot ze. Ze pakte de schaatsen weer in, riep zichzelf tot de orde en haalde een kruk uit de badkamer.

Vanbinnen liep de muurkast door tot aan het plafond. Op het krukje staand trok ze aan iets groens op de bovenste plank dat onder een slordige stapel dozen uit hing. Tot haar vreugde zag ze het pingpongnetje tevoorschijn komen. Hoe vaak hadden Addy en zij wel niet gespeeld aan de uitgeschoven eettafel! Voorzichtig trok ze het netje naar zich toe. Toen het ergens achter bleef haken gaf ze er een ongeduldige ruk aan. Zo trok ze de hele stapel mee naar voren. Ze verloor haar evenwicht, de kruk wankelde en ze sloeg met een klap tegen de vloer. Meteen daarop werd ze bekogeld door puzzelstukjes, dominostenen, damschijven en pingpongballetjes die alle kanten op sprongen. Daar zat ze met een verdoofd stuitje en een buil op haar hoofd, te midden van een ravage van antieke spellen als Boerenschroom en Denk Fiks. En een stukgevallen stenen spaarvarken. Ze pakte de kop met de sluwe zwarte oogjes en streelde de snuit. Van wie was hij geweest? Op de scherf die zijn rug was, zat naast zijn gleuf een etiket geplakt. Zonder bril kon ze de schuine hoofdletters van haar oma nog net lezen: NI-NETTE.

Tussen de scherven vond ze geen munten, wel een stijf opgevouwen stukje wit papier. Ze streek het glad en bracht het naar haar ogen, maar deze letters waren te klein. Een code? Ze pakte haar bril, liep naar het trapraam en las: 'onderbruinepotkelder'. Haar vaders jongenshandschrift, dat ze zo goed kende uit zijn boeken.

Het leek een zoekbriefje van Sinterklaas. Haar vader had iets verstopt in de kelder, maar Nina was er niet, dus nu moest zij maar gaan kijken.

Een naakt peertje bescheen de mand overwinterende dahliaknollen en de bruin geglazuurde aarden voorraadpot op de keldervloer.

De pot waarin vroeger aardappelen licht- en vochtvrij bewaard werden was nu bijna leeg, maar nog zwaar genoeg. Ze pakte hem bij de oren en rolde hem met enige moeite van zijn plaats. Niets! Maar toen ze de kring vochtig vuil die onder de bodem vandaan kwam met de blote hand wegveegde, voelde ze dat de voegen rond de plavuis waarop de pot gestaan had ruimer waren dan die tussen de omringende tegels. Hij zat los!

Ze haalde de gereedschapskist en een zaklantaarn van boven, schoof de mand met knollen opzij om ruimte te maken en ging aan het werk. Met de houten hamer en de grote schroevendraaier tikte ze – de opgeschrikte pissebedden zo veel mogelijk ontziend – de vochtige voegen rondom de blootgekomen plavuis aan alle kanten los. Vervolgens stak ze een zware schroevendraaier als wig in de gleuf en zette haar voet op het houten handvat. Onwillig kwam de plavuis omhoog en een graflucht drong door de onderliggende planken heen haar neus binnen. In de lichtkring van de zaklantaarn zag ze dat er in de vloerplanken onder de plavuis een rechthoekig gat was gezaagd. Om het gat voldoende bloot te leggen moest ze er nog een loshalen, maar dat ging een stuk gemakkelijker.

Half verwachtend dat ze een verstoorde rat in de oplichtende kraaloogjes zou schijnen, keek ze de kille kruipruimte binnen, rook de onderwereld en zag in de diepte op de fundering iets vierkants liggen. Schuivend op haar buik haalde ze een roestig blik omhoog. Met een prop krantenpapier ontdeed ze het deksel van pissebedden, stof en spinnetjes, zette het met een zucht van inspanning op de houten keldertrap neer en veegde haar handen af aan haar broek. Ze had een schort en werkhandschoenen aan moeten trekken. Ook zonder etiket herkende ze het blik als een Verkade-gemengde-biscuits-trommel.

Ze nam het blik mee naar boven en zette het op het granieten aanrecht. Hier had ze goed licht van het keukenraam. Voorzichtig wrikte ze het deksel los. Het blik had zich goed gehouden, binnenin was het droog. Er lag een in bruin papier gewikkeld pakketje in. Ongeduldig pulkte ze de platte knoop van uitgedroogd vliegertouw open. Het opkrullende bruine plakband liet vanzelf los. Onder het pakpapier gaven een paar lagen vloeipapier aan dat de inhoud kostbaar en misschien wel breekbaar was. Ze vertraagde haar bewegingen en pelde de laatste laag voorzichtig af.

Wat zich blootgaf aan haar onbevoegd oog was een stijve armband van gedraaid brons in Keltische stijl. Het begin en het eind van de cirkel sloten met een leeuwenkopje en -klauwtje als haakjes feilloos in elkaar. Minutenlang stond ze te turen naar het sieraad, voor ze het durfde aan te raken en de sluiting met ongebroken veerkracht open wipte. Ze haakte hem vast om haar pols, besnuffelde het metaal, bekeek hem door Georges loep en kreeg opeens een vreselijke gedachte: Hij zal toch niet echt zijn! In dat geval was het ding niet alleen onbetaalbaar, maar was haar vader ook nog eens een dief.

Als het een replica was, waarom zou hij hem dan zo goed verstopt hebben? Waar kwam het ding vandaan? Wat zou het nu waard zijn? Opeens schoot haar te binnen dat Jan Beets in zijn uitvindingenschrift melding maakte van 'bronzen sieraden' die Frans en zijn vader voor de oorlog in een grafheuvel zouden hebben gevonden. Beduusd streek ze het verfomfaaide vloeipapier glad en begon de armband weer in te pakken. Wat moest zíj ermee, hij was voor Nina.

21

Pas laat in de middag durfde Martha Nina te bellen. Ze had rekening gehouden met het tijdsverschil en met het ochtendritueel van een oude dame, dat uren in beslag kon nemen. Al toetsend en zichzelf het nummer hardop dicterend zag ze haar handen trillen. Tegelijkertijd begon haar rug te prikken onder de dikke wintertrui. Halverwege het lange nummer brak ze af om te krabben en legde neer. Nee, ze zou Nina nog niets vertellen over de armband. Eerst moest ze meer weten.

Het grasveld ging nu schuil onder een witte deken. Net als zestig jaar geleden, toen daar een gewonde man in een natte kamerjas lag kou te vatten, terwijl de vlammen de ramen van zijn huis uitsloegen. Haar grootvader die ze zo graag had willen kennen. Had Nina daar de hand in gehad? Ze probeerde zich voor te stellen hoe het gegaan kon zijn. Ze zag Nina die bewuste oudejaarsavond eenzaam en kwaad over het paadje langs de heg van Bel Air lopen; ze had licht zien branden in de bad- en de slaapkamer en wist meteen dat George niet mee naar de kerk was. Ze zag een vuurpijl liggen die niet was afgegaan en had zich niet kunnen bedwingen. Even later had Jan Beets iemand zien wegrennen. Iemand in een lange jas, met een muts op.

Wie zou ze te spreken krijgen? Het elfje dat wraakengel werd, of misschien Jacob? Ze was op alles voorbereid. Het kon best zijn dat Nina alleen maar was gaan dénken dat ze iets gedaan had. Er bestond wel degelijk zoiets als ingebeelde schuld: ook over een hevig beleefde wéns tot moorden kon iemand zich met de jaren steeds schuldiger gaan voelen, zeker op de oude dag als werk en contacten wegvielen. In isolement gedijde de fantasie, dat wist ze inmiddels uit eigen ervaring.

Weer toetste ze het nummer, rustiger ditmaal, vastbesloten er eerst een vriendelijk praatje van te maken en dan pas ter zake te komen.

Het duurde lang voor er opgenomen werd in het huis dat ze zich voorstelde als kil en godverlaten; buiten de oneindige akkers in sneeuw of mist, binnen een houtvuur in de haard. Toen ze de moed al opgegeven had klonk een vragend 'Allo?'

'Hallo, met Martha Duinker. Spreek ik met mevrouw Nina Smit?'

'Ja, maar spreekt u langzaam, ik ben een beetje doof.'

Doof, ach! Martha sprak zo voor in de mond als ze kon. 'Ik ben Martha Duinker uit Holland. Bent u mevrouw Smit?'

'Nina Smit. Dat ben ik ja.'

Martha herademde. 'Ik wilde zo graag uw stem eens horen. U schrijft mij al die e-mails.'

'Pardon?'

'U schrijft zulke mooie e-mails,' probeerde ze nog eens. 'Op uw computer.'

Geen reactie. Luisterde Jacob mee? Dan maar een onschuldiger onderwerp. 'Bij ons ligt sneeuw. Bij u ook?'

'Ah, sneeuw!' Dankbaar vertelde de dame met een licht Frans accent dat er bij hen ook sneeuw lag. 'Dat staat zo mooi op de boerenkool in de tuin. Mijn jonge poes, zij ziet de sneeuw voor het eerst in haar leven. Ze rende maar in het rond door de moestuin en ze kon haar ogen niet geloven. Toen ze weer binnenkwam door het luik in de achterdeur heeft ze heel lang haar koude voetjes zitten likken.' Nina kon goed vertellen.

'En nu?'

'Nu springt ze net bij mij op schoot. Hoort u haar spinnen?'

Blijkbaar hield Nina de hoorn vlak bij het poezenhoofd, want Martha hoorde een lichte brom die voor gespin zou kunnen doorgaan. 'Ja, ik hoor haar!' riep ze meelevend. 'Wat lief!'

'Ik hoor haar niet goed meer,' zei Nina. 'Maar ik vóél haar spinnen. Dat voelt zo heerlijk dat ik helemaal warm word vanbinnen.'

'Hoe heet de poes?'

'De poes? Ze heet Loulou. Ze is acht maanden oud. Toen ik ziek was heeft mijn buurman voor haar gezorgd. Die gaf haar nooit eten, hij vond dat ze moest leren muizenvangen. *Sale type*, mijn buurman. Hij heeft een groot jachtgeweer.'

Martha sloot haar ogen en zag de buurman voor zich, zijn houthakkershemd, vaalblauwe werkbroek en bemodderde laarzen. Hij schoot hazen met hagel, stelde ze zich voor. Paarsblauwe kersthazen, adelend aan de waslijn... Ho, opletten! Zo liet ze zich inpakken door Nina's melodieus kabbelende geklets en dat was niet de bedoeling.

'Nu even iets heel anders,' zei ze zo rustig en nadruk-kelijk als ze kon. 'U schreef me over de waarheid die naar buiten wil. Wat bedoelde u daarmee?'

'Precies wat er staat.'

'Mag ik dan toch nog even vragen: weet ú hoe die ou-dejaarsbrand van 1945 is ontstaan?'

Even bleef het stil aan de andere kant van de lijn. Martha dacht te kunnen horen hoe Nina haar adem inhield en toen lucht schepte.

'Die heb ik aangestoken,' zei ze ten slotte langs haar neus weg. 'Maar dat wist je toch allang?'

'Ja. Eigenlijk wel.' Martha's hart klopte wild.

'Ah, daar heb je de facteur! Ik moet ophangen.'

'Bedankt,' zei Martha. 'Schrijft u me gauw? Dan schrijf ik terug, of ik bel weer, als dat mag.'

'Maar zeker! U ook dank voor het bellen.'

Martha hing op en slaakte een zucht van verlichting, al voelde ze ook teleurstelling. Misschien had Nina niet vrijuit kunnen spreken, maar toch, ze had het gezegd! 'Maar dat wist je toch allang?' Een onwaarschijnlijke brandstichter, dit verfranste dametje met haar poes. Was ze het werkelijk? Uit haar meisjesachtige gepraat viel niet met zekerheid op te maken of zij dezelfde was als de schrijfster van de meanderende e-mails, maar Martha wist door een leven van brievenschrijven dat een mens, zodra hij een pen op papier zet of een toetsenbord aanraakt, een ander wordt. Dan ontstond er een verbale, officiële versie van het zelf. Het werd geromantiseerd en gedramatiseerd om het verhaal rond te krijgen. Een verhaal dat in het echte leven van toevalligheden aan elkaar hing en maar geen roman wilde worden.

'Die heb ik aangestoken', terloopser had het niet kunnen klinken. Toch was ze blij met deze bekentenis, blij voor Jan Beets vooral. Ze zou het hem meteen gaan vertellen.

Ze zag Nina voor zich, bij een koektrommel, theelicht en haakwerkje. Een frêle vrouwtje, wit haar en blauwe ogen, nog steeds knap. Ze haakte vitrages, zo stelde ze zich voor. Witkatoenen Franse vitrages die strak tegen het raam werden gespannen. Of deden ze daar in Québec niet aan?

'Daar heb je de facteur', Nina woonde vast heel afgelegen. Ik ga haar iets sturen voor Kerstmis, dacht Martha. De Keltische armband? Nee, die hield ze nog even bij zich. Beter een kistje Ringers vruchtenkoekjes, in drie of vier kleuren, zoals oma Ida presenteerde bij de thee. Zouden die nog bestaan?

Opeens realiseerde ze zich dat ze haar ouders miste, haar moeder die ook had willen emigreren om maar niet meer te hoeven inwonen. Naar Nieuw-Zeeland of Canada, maar het werd uiteindelijk Lille omdat haar man daar een baan kreeg.

Haar vader en moeder die eigenlijk nog steeds in Frankrijk woonden, want waar mensen sterven, daar blijft hun ziel hangen.

Hoe zouden ze oud zijn geworden? Oude mensen verschillen onderling net zo veel als, of meer dan jonge, dat wordt weleens vergeten.

22

Plechtig legde Martha de armband op Jan Beets' formica keukentafel. Tussen de wijn- en koffiekringen was hij zijn status van kostbaarheid meteen kwijt.

'Hé, die ken ik!' riep Jan verrast. 'Die heeft Frans me laten zien, in '39. Die had ie zelf opgegraven, in Limburg. Hij deed er heel geheimzinnig over. Keltisch, La Tène-cultuur. Een bijzonder ding, in Nederland zijn ze maar af en toe gevonden.'

'Dus hij is echt?' vroeg Martha bedremmeld.

'Dat moet haast wel.'

Martha slikte. Na Nina's vertrek had haar vader zijn schat al die jaren rustig in de kelder laten liggen. Niemand dan hij had ervan geweten.

'Wat is hij waard, denk je?'

'Nu? Een paar ton, schat ik.'

'Hij was voor Nina bedoeld. Ik moet je nog vertellen dat ze alles eerlijk toegegeven heeft. Vanmiddag heb ik haar gebeld.'

'Wát heeft ze toegegeven?'

'Dat zíj die brand heeft gesticht. Wat vind je daarvan?'

De waarheid kwam te laat, Jan vond niet veel. Wel leek het hem tijd voor een goed glas wijn. Vanwege de feestelijke gelegenheid deed Martha mee.

Jan legde de armband naast de Keltische munt in zijn kluis en trok een fles open. Morgen zouden ze kunnen besluiten wat hun te doen stond, opperde hij. Hem leek het een goed idee met de armband naar het Rijksmuseum voor Oudheden in Leiden te gaan om hem daar af te geven aan de afdeling Bodemvondstenonderzoek. Ook zoveel jaar na dato was een bodemvondst nog steeds eigendom van de Staat der Nederlanden.

Martha dacht er anders over: in '39 was haar vader dertien geweest, een kwajongen die het niet nodig had gevonden de armband aan het museum af te staan, waar hij verweesd in een depot zou komen te liggen. Moest zíj hem dan nu nog eens als dief te kijk zetten? Iets wat niemand miste bestond niet.

Nee, hij was voor de jeugdliefde van haar vader. Ze zou hem persoonlijk naar Nina gaan brengen.

Na twee glazen nam Martha wankel afscheid. Het was halfacht, ze moest nog wat werken en Jan ging naar een vriend in Arnhem die al zijn boeken wilde wegdoen omdat hij zijn einde nabij wist. 'Alleen zijn Homerus wil hij houden.'

Welk boek zou Jan willen houden als hij zou weten dat hij doodging? Ze zag geen kans meer het hem te vragen, hij liet haar al uit.

Nu ze zo lang niet gedronken had dat ze de warmegrondsmaak van rode wijn vergeten was, leken twee glazen wel twee flessen. Haar hoofd was te zwaar geworden voor haar nek. Op voeten die zich met zuignappen aan de grond leken vast te hechten zwoegde ze door de koude nacht naar huis.

Ze nam het pad door de kwekerij zodat ze via het poortje in de haag in de achtertuin uit zou komen. Vandaar kon ze al zien dat ze het badkamerlicht had laten branden. Vreemd. Als ze naar Jan ging liet ze meestal alleen het ganglicht beneden aan.

Op haar tenen klom ze de buitentrap op, intussen tastend naar de sleutelbos in haar tas.

Ze hield de sleutel als een priem tussen duim en wijsvinger voor zich uit en wilde hem resoluut in het sleutelgat van de balkondeur steken, toen ze iets dacht te horen dat op fluiten leek. Geen vogel, het kwam van binnen! Er zat iemand in haar badkamer 'I'm dreaming of a white Christmas' te fluiten. Ze moest de balkonreling stevig vastpakken om niet te wankelen, maar wist het hoofd koel te houden. Vergeleken bij haar hersenschimmen was de werkelijkheid tot nu toe meegevallen. Nu haar angst eindelijk een object leek te krijgen werd ze rustig. Zo geluidloos mogelijk schuifelde ze richting badkamerraam.

Het fluiten ging onvermoeibaar door, de insluiper had haar nog niet gehoord. De jaloezie was niet neergelaten en het klapraam stond op een kier voor de ventilatie. Eindelijk ging ze haar plaaggeest betrappen!

Ondanks de kier was het raam beslagen. Ze drukte haar neus tegen het glas. Door de condens heen zag ze een donker mannenhoofd, een zware schouderpartij en een hand die loom rondtastte op zoek naar een glas op de vloer. In de andere hand hield hij een krant. Nu had hij het glas te pakken, nam een slok. Geen schim, geen product van haar verbeelding, maar een man van vlees en bloed. Hij was demonstratief bezig het zich gemakkelijk te maken en dat wekte Martha's verontwaardiging. Nijdig tikte ze tegen het raam. Traag draaide het hoofd opzij. Verbaasd keek de man haar kant uit, van haar zag hij waarschijnlijk niet meer dan een donkere schim die hij verkoos te negeren. Weer nam hij een kalme slok. Kwaad duwde ze het raam naar binnen open en gaf een schreeuw. 'Hé! Wat moet dat!' Nu pas kon ze hem goed zien. Ze zag stekende, lichte ogen haar kant op kijken, zwarte wenkbrauwen, piekhaar dat op een breed voorhoofd plakte. Kon niet missen, dit was Jaap Smit, de computerman! Schaars maar opvallend donker lichaamshaar kleefde tegen de bleke huid van borst, rug en armen. De duivel zelf nam in haar huis een bad en liet zich niet zomaar verjagen.

'Wat doet u hier in godsnaam?' vroeg Martha dom.

'Ik neem een bad.'

'Dat zie ik, maar waarom in mijn huis?'

'Omdat dit ook mijn huis is. Of je dat nou leuk vindt of niet, we zijn familie.'

Zijn huis? Familie? Martha zag de halflege fles St. Emilion op de badkamervloer en er begon haar iets te dagen. Maar Jacob zat toch in Canada, bij zijn moeder? Ze kon haar ogen amper geloven. Jaap, Jacob; hier wisten haar hersens even geen raad mee. Ze kuchte.

'U bent dronken,' riep ze ten slotte met overslaande stem. 'Ik geef u vijf minuten om u aan te kleden en dit huis te verlaten.'

'Ik peins er niet over. Als zoon van je vader heb ik net zo veel recht op dit huis als jij.'

In een poging dreigend over te komen leunde Martha zo ver ze kon over de vensterbank de badkamer binnen. 'Goed, dan bel ik nu de politie.' Ze deed een greep in haar schoudertas.

'Dat zou ik je afraden.'

'Waarom?'

'Omdat ik sterker ben dan jij, zusje.'

Strijdbaar stapte ze over de vensterbank de stomige badkamer binnen en maakte zich breed.

'Zolang u niet kunt aantonen dat u familie bent, is dit huisvredebreuk.' Koelbloedig haalde ze haar mobieltje tevoorschijn en wilde 112 toetsen, toen de naakte man in één sprong druipend naast haar stond en haar rechterhand greep.'Doe dat maar niet, zus! Eerst even voorstellen. Jacob Smit. Zoon van Nina Smit en Frans Duinker.'

Martha trok haar hand terug, maar hij greep haar stevig bij de pols. De natte huid van zijn dijbeen drong tegen haar rok. In gedachten tot tien tellend keek ze naar de grond. De man en zij stonden in een steeds groter wordende plas en nog steeds droop het water langs zijn benen. Zich losrukken had geen zin, dat wist ze, maar toch deed ze een poging. Met het gevolg dat hij haar andere pols ook vastgreep en haar armen op haar rug draaide. Het mobieltje viel op de vloer.

'Ik had me onze kennismaking heel anders voorgesteld,' zei hij vlak bij haar oor. 'Maar ik heb ook niet zo'n goeie opvoeding gehad als jij.'

Martha bleef naar de grond kijken. Ze ademde diep in en uit. Als ze stil bleef staan was voor hem de lol er gauw af, hoopte ze.

'Eerlijk gezegd een waardeloze opvoeding,' vervolgde

hij. 'Een stiefvader die sloeg en een moeder die uit angst zijn kant koos.'

'Wilt u zich niet even aankleden?' vroeg ze. De stekende pijn in haar polsen schoot door tot in haar schouders.

Als antwoord verstevigde hij zijn greep, haar botten kraakten. Als ze ging schreeuwen zou niemand haar horen. En Jan Beets was in Arnhem. Ze beet op de binnenkant van haar wangen.

'Laat me los, idioot!'

In plaats van los te laten duwde hij haar voor zich uit de halfdonkere slaapkamer in en smeet haar op het bed. Zwaar liet hij zich boven op haar vallen. Met één hand drukte hij haar rechterarm boven haar hoofd tegen de matras, met zijn andere trok hij haar panty naar beneden.

'Jij mag het zeggen,' zei hij. 'Goeie of kwaaie vrienden?'

Martha zweeg, beet op haar lippen, probeerde hem af te weren.

'Goeie of kwaaie? Ik hoor niks.'

'Goeie.'

'Je hebt zin, ik voel het.'

Ze hield zich dood, maar dat ontmoedigde hem niet. Met een harde knie duwde hij haar dijen van elkaar en sjorde aan zijn pik tot die stijf genoeg was om bij haar binnen te dringen.

Nog steeds gaf ze geen krimp. Ze misgunde hem zijn triomf.

'Je vindt me wel goed, hè,' steunde hij. 'Zeg dan dat je me goed vindt.'

Ze hijgde, verkrampte om hem heen.

Hij gromde in zijn keel.

Nog steeds was het halfdonker in de kamer. Het licht vanuit de badkamer was te zwak om zijn gezicht te kunnen zien. Toen hij het beddenlampje aanknipte, draaide Martha zich op haar buik en drukte haar betraande gezicht in het hoofdkussen. Ze klemde het sloop tussen haar tanden, wachtte af en hoorde hoe de man zich waste in de badkamer, tanden poetste, weer binnenkwam, de kleren van de stoel naast het bed pakte en zich in alle rust begon aan te kleden. Even later liep hij naar de deur, riep nog dat hij vannacht zeker terug zou komen en daalde kalm de trap af.

Pas toen ze de buitendeur hoorde dichtslaan, durfde ze op te staan. Haar hoofd tolde. Wat deed je in een geval als dit? De politie bellen? En dan? Zeggen dat ze verkracht was? Ze moest er niet aan denken.

Snel waste en kleedde ze zich, nam een lik tandpasta en raapte het mobieltje en een natte *Telegraaf* van de badkamervloer. Beneden schoot ze haar jas aan en verliet het huis.

Bij Jan Beets brandde geen licht en zijn bus stond er nog niet.

Ze toetste het nummer van de taxicentrale en wachtte klappertandend bij het tuinhek.

23

In café De Houten Kop koos ze een zitplaats met een muur in de rug en zicht op de ingang.

Pas na een glas rode wijn durfde ze eindelijk te ontspannen.

In gedachten roerde ze even later in haar koffie. Turend naar het traag draaiende melkwegstelsel dat het straaltje room op de zwarte koffiespiegel had doen ontstaan, vroeg ze zich af wat haar te doen stond. Dwars door de zadelpijn heen voelde ze het verlangen alweer kloppen in haar schoot.

Waarom neem je hem niet als minnaar, vroeg ze zichzelf op de vrouw af, als was ze haar eigen beste vriendin. Haar lichaam had al voor haar besloten, en slaafs sukkelde haar restje verstand achter de feiten aan. Schijnheilig rationaliseerde ze dat ze hem eerst beter moest leren kennen. Nu wist ze hoegenaamd niets van hem, behalve dat hij een moeilijke jeugd had gehad. En eerlijk was eerlijk, als hij echt haar halfbroer was, had hij ook recht op een half huis. Al met al drong het maar langzaam tot haar door wat haar aan het overkomen was. Een rilling trok langs haar ruggengraat, haar wangen gloeiden. Voor het eerst sinds ze hier woonde, was ze een avondje uit.

'Kom maar op', fluisterde ze tegen de onbekende afwezige. Meteen begon ze weer hevig te twijfelen. Die Jacob was welbeschouwd toch best gestoord en gevaarlijk. In plaats van te walgen van zijn geweld wilde ze meer, dat was niet normaal. Thuis gaan slapen was nu zeker niet verstandig. Hij zou terugkomen en god mocht weten wat hij nog meer van plan was. Zodra ze haar koffie op had moest ze naar het hotel aan de overkant. Het was bijna middernacht, maar in dit seizoen was er vast nog wel plaats in Grand Hotel De Rustende Jager. Ze keek naar de lokkende groene lichtreclame, herademde en leegde haar kopje in een lange teug.

Het was bizar een kamer te boeken in haar geboorteplaats, in een hotel dat er zolang ze zich kon heugen al geweest was. Ze kreeg de sleutel van een tweepersoonskamer met bad op de eerste etage. Aan de achterkant, zoals ze gevraagd had, want het forenzen- en vrachtverkeer begon al vroeg. Straks zou ze een bad nemen, bedacht ze. Maar eerst kon ze nog even een afzakkertje gaan nemen in de foyer.

Ze kamde haar haar, bond het op in een staart en stiftte haar lippen. Ook haar ogen zette ze nog even aan, spoot een waasje parfum in haar hals en verliet de kamer.

Het duurde lang voor de lift kwam. Ze wilde net de trap nemen, toen ze een mannenstem achter zich hoorde: 'Wacht maar. Hij komt eraan.'

Ze herkende hem meteen. Wild van schrik draaide ze zich om en keek in het grijnzende gezicht van Jacob Smit, nu gekleed in een donker pak en een wit, aan de hals geopend overhemd.

Haar mond zakte open, terwijl ze zich willig de lift liet induwen.

'Ik wist dat je me achterna zou komen,' zei hij en hij stuurde de lift omhoog in plaats van omlaag. 'Ga je even mee naar mijn kamer? Dan praten we nog wat. We kennen elkaar amper.'

'Dit is een misverstand! Ik ben hier om te slapen,' zei Martha hees.

'Ik ook. Straks.'

De trage lift hield schommelend halt op de vierde. Hij duwde haar met zachte drang de gang op en fluisterde in haar oor. 'Leuke oortjes. Ik zou je zo weer willen.'

Hij liet haar plaatsnemen in de enige fauteuil van de kamer en ging zelf wijdbeens op het tweepersoonsbed zitten.

'Rook je?'

'Nee, dank u.'

'Schei toch uit met dat u!' Hij stak op en vroeg of ze iets uit de minibar wilde gebruiken. Hij schonk zich een whisky in.

'Geef mij ook maar wat,' zei ze.

'Zo, zusje.'

'Ik heet Martha.'

'Zo, Martha.' Hij trok het gordijn open, zodat ze uitkeken op het neonverlichte marktplein waar nu geen verkeer meer was.

'Grappig dat we hier zo zitten na al die jaren. Broer en zus eindelijk verenigd op hun geboortegrond,' zei hij.

'Broer en zus horen elkaar niet intiem aan te raken,' zei Martha. De whisky smaakte naar vloeibare boenwas, maar zorgde er tenminste voor dat ze een meter naast haar eigen lichaam leek te zitten, zodat ze zichzelf en Jacob onpartijdig kon gadeslaan.

'Voor ons zijn de regels minder streng,' zei Jacob. Nu pas hoorde ze dat hij een Frans accent had, net als Nina.

'Dat valt nog te bezien,' zei ze kalm.

'Doe niet zo arrogant,' zei Jacob. 'Alle meisjes willen toch een grote broer hebben? Wel wat spannender dan een lappenkonijn.'

Dus híj had Peter in haar bed gelegd. 'Serieus. Mijn familie heeft het nooit met een woord over u gehad,' zei ze.

Jacob keek zuur. 'Nee, logisch niet. Jullie voelden je te goed voor mijn moeder en mij.'

Martha dacht aan wat Max had gezegd en formuleerde zo zakelijk als ze kon. 'Sorry, maar als u echt mijn vaders zoon was, had u al lang geleden uw advocaat een brief laten schrijven met het verzoek tot een DNA-siblingtest.'

Even trok hij nerveus aan zijn onderlip en hij mompelde toen dat hij geen advocaten nodig had. 'Ik doe de dingen op míjn manier,' zei hij.

'Uw manier staat mij niet aan.' Ondanks gloeiende wangen en trillende handen klonk Martha's stem nog steeds opvallend rustig. 'Ik ga naar mijn kamer.'

Ze probeerde op te staan uit de diepe fauteuil, maar een duwtje van Jacob was voldoende haar weer in de kussens te doen terugzinken.

'Nee, je blijft hier,' zei Jacob. 'Toevallig ben je mijn type. Als je eens wist hoe ik al die maanden naar je verlangd heb.'

Hij wees naar de laptop die gesloten op het bureautje

voor het raam lag. 'Ik heb mijn moeders wachtwoord, dus ik ken jullie correspondentie van a tot z. En ik heb foto's van je. Wil je ze zien?'

Martha zweeg.

'Ik heb je bekeken. Je was zo lekker driftig aan het tuinieren en aan het schoonmaken. En je in bad aan het bevredigen.'

Dat laatste was gelogen! Martha bloosde van verontwaardiging. Als ik nu niet wegloop ga ik voor de bijl, dacht ze in een laatste vlaag van gezond verstand. Ze sprong naar de deur om te ontdekken dat die op slot zat. Toen ze zich geschrokken naar hem omdraaide zag ze dat Jacob zijn hemd zat open te knopen.

Ze had kunnen gaan schreeuwen, maar in plaats daarvan liet ze zich de mond snoeren door zijn bezitterskus.

24

'Wat doe je liever,' vroeg Jacob na afloop van het vrijen. 'Neuken of lekker eten?'

Ze lagen op hun rug in het hotelbed, het nog knisperfrisse laken over zich heen getrokken.

Lul, dacht Martha. Wat een vraag. 'Dat hangt van de situatie af,' zei ze gekwetst. Ze wilde naar de badkamer, zijn lijfwarmte begon haar tegen te staan. Seks en intimiteit gaan lang niet altijd samen.

'Hoe intens we ook proeven of voelen,' filosofeerde Jacob verder, 'we blijven de gevangenen van onze eigen huid. De slaven van ons egoïsme.'

Hij praatte maar door met zijn dubbele tong. Lange, gelispelde monologen. Sommige van Martha's vroegere vrienden vertelden na afloop over vrouw en kinderen. Alsof ze spijt hadden. Hij niet, hij had het over zichzelf, het was nog net geen raaskallen. Hij was een vechter en een *lone wolf*, beweerde hij. Als kind werd hij van school gestuurd; hij was driftig, hij daagde ze allemaal uit en hield niet op voor ze om genade smeekten. Schrammen en builen deerden hem niet. 'Ik ben een eenzame jager,' zei hij tegen het plafond.

Martha dacht aan de schoondochter, over wie Nina het zo vaak had. 'Je bent toch getrouwd?' vroeg ze voorzichtig.

'Geen groter eenzaamheid dan tussen echtelieden die elkaar niets meer te zeggen hebben,' zei hij gapend. 'Zij heeft een ander en ik ben weer op mezelf aangewezen, zoals altijd.'

Het klonk geroutineerd, als versleten versierderspraat. Hoe wanhopig was hij, dat hij zich zo veel tijd en moeite had getroost om haar te bespieden? Wanhopig, of doortrapt? Ze moest zich vooral geen illusies maken.

Het duurde niet lang of de jager lag tevreden te snurken. Ze voelde zich in de steek gelaten, haar hart bonkte, haar oren zoemden, haar mond was kurkdroog. Samen uit, samen thuis; nee, zo gaat het zelden. Wat voor man was hij? Een straatvechter die op grote voet wilde leven, een opportunist met een romantische kijk op zichzelf: moeilijke jeugd, eenzame jager. Iemand die hunkerde naar erkenning, dat zeker. En naar een villa met een tuin. Haar, Martha, nam hij op de koop toe. Ze zag dat hij vast sliep. Hij lag nog steeds op zijn rug, maar snurkte niet meer. Zijn dwingende blik was weg, zijn mond hing halfopen. Naast haar lag een man die naar zweet en drank rook. Net als zijzelf, trouwens.

Behoedzaam kroop ze onder de lakens vandaan en zocht in de streep licht die uit de badkamer binnenviel haar her en der verspreide kledingstukken bij elkaar. De panty propte ze in de zak van haar jack. Dankzij de ritsen gingen de laarzen soepel over haar blote benen. Op haar tenen verliet ze de kamer.

Aan het eind van de gang viel haar oog op het groen verlichte bordje met de omlaagwijzende pijl boven de laatste deur. Hoopvol voelde ze aan de klink, die meegaf.

Een seconde later stond ze buiten, op een stalen brandtrap waar ze dwars doorheen keek. De kou was zo doordringend dat ze haar hoogtevrees niet meer voelde. Ge-
vaar is eenduidig: elke stap de trap af verwijderde haar
een halve meter van hem.

Na een eindeloze reeks smalle treden voelde ze grind.
Vaste grond, meteen begon ze te rennen. De hotelreke-
ning kwam morgen wel. Eerst moest ze zo snel mogelijk
bij Jan Beets zien te komen. Hopelijk was hij alweer terug.

Midden in de nacht een taxi nemen was er niet bij in
het nu uitgestorven dorp waar geen nachtleven bestond.
Een goederentrein op weg naar het Ruhrgebied reet de
stilte open. Toen sloeg de kerkklok drie uur, de derde
slag bleef lang nagonzen.

Bel Air was nog een heel eind lopen vanaf het centrum,
en in het donker lijkt alles verder. Zonder om te kijken
rende Martha voort.

Even buiten het centrum zag ze dat er in de glazen dak-
koepel van de openbare bibliotheek nog licht brandde.
Ze zou er zo binnen willen rennen. Addy had hier dertig
jaar gewerkt, maar daar zou de nachtwaker weinig boodschap aan hebben.

Buiten adem sjokte ze verder. Vlak bij een verlaten
bushokje zag ze een oude fiets tegen een lantaarnpaal
staan, waarvan het kabelslot los om het stuur hing. De
eigenaar was verstrooid geweest. Ze noteerde de plek in
gedachten om hem morgen terug te brengen, sprong op
de fiets en reed rammelend de beklinkerde eikenlaan op,
richting snelweg waar het verkeer nu, zonder echt stil te
vallen, zijn nachtelijk dieptepunt beleefde.

Terwijl ze de helling van het viaduct over de A50 af-suisde, begon het te sneeuwen. De vlokken hechtten zich aan wimpers en haren, kriebelden in ogen en neus. Kou voelde ze niet. Ze gloeide en tintelde. Pas toen ze bene-den was durfde ze om te kijken. Niemand te zien, ze was de enige fietser. Wandelaars waren er al helemaal niet meer. Mensen, kinderen, auto's en honden waren diep in slaap in haar miljonairsbuurtje. Ze freewheelde, haar banden knerpten over het verse laagje poedersneeuw. Ze kon de dennen en de koude hei al ruiken. Zo moest een ontsnapte gevangene zich voelen. De witte lanen en besneeuwde bomen straalden ingetogen feestelijkheid uit.

Tot haar immense opluchting zag ze de VW-bus staan. Pas toen ze vlak bij Jan Beets' huis was sloeg de hond aan. Een gekef dat haar als muziek in de oren klonk: Lady!

25

Zoals altijd als Lady 's nachts blafte stond Jan Beets met-een naast zijn bed. Ondanks de kou gunde hij zich geen tijd voor zijn kimono en liep naar het raam. Over het tuinpad naderde een bekend silhouet. Toen het buiten-licht aanfloepte zag hij een besneeuwde jas en verwarde donkere haren.

Meteen schoot hij alsnog kimono en pantoffels aan, nam de trap zo snel hij kon en haalde de voordeur van het nachtslot.

'Wat loop jij te spoken?' riep hij haar toe.

'Dat is een heel verhaal,' hijgde Martha.

'Kom gauw binnen.'

Pas binnen in het vertrouwd muffe huis begon ze te klap-pertanden. Jan Beets nam haar jas aan, schudde de sneeuw eraf en hing hem aan een knaapje boven de radia-tor in de gang. 'Die zoon van Nina Smit is hier,' zei ze hui-verend. 'Je weet wel, Jacob. Hij beweert dat ie m'n half-broer is. En nu heeft ie recht op mijn huis, zegt hij en...'

Haar verhaal kwam met horten en stoten, de seks sloeg ze maar over. Jan liet haar wat drinken, viel niet in de rede als ze zichzelf herhaalde en wist haar ten slotte te kalmeren.

'Waar is hij nu?' vroeg hij.

'In De Rustende Jager.'

'Hoe ziet hij eruit?'

'Opvallend lichtblauwe ogen met dikke zwarte wenkbrauwen. Hij loenst iets naar buiten.'

'Hè, wacht eens! Ik geloof dat ik die man ken. Dat zou best eens dezelfde kunnen zijn als die vent die hier al eens eerder is langs geweest. Op een avond, toen Addy nog leefde. Stomdronken. Zij liet hem niet binnen, dus kwam hij naar mij toe.'

'Wat zei hij toen?'

'Dat hij voor een beleggingsmaatschappij werkte. Van mij wilde hij weten of Bel Air te koop was. Alsof ík daarover ging! Hij kon een mooi bod doen, beweerde hij.'

'Daar heb je me niks van verteld.'

'Waarom zou ik? Aan projectontwikkelaars en dat soort aasgieren heb ik geen boodschap. Ik heb hem weggestuurd.'

Jan klonk laconiek, als altijd, dat stelde gerust.

'Nu ligt hij te slapen,' zei Martha. 'Voor zolang als 't duurt. Toen ik vanavond bij jou vandaan kwam zat hij bij mij thuis in bad. Achteraf bekeken moet hij al vaker binnen geweest zijn. Alleen heb ik hem nooit kunnen betrappen.'

'Dat had je míj nou wel eens mogen vertellen.'

'Ach, ik wilde het niet serieus nemen. Ik dacht dat ik me maar wat in m'n hoofd haalde.'

'Die man is gestoord. Dat zag ik aan z'n blik. Met zo'n type moet je oppassen. Zul je dat doen?'

'Maar als hij nou eens gelijk heeft? Als hij echt de zoon

van mijn vader is? Dat zou best kunnen. Zijn leeftijd klopt.'

'Laat hij een advocaat nemen en jou met rust laten,' zei Jan.

Martha vertelde hoe hij haar had proberen te intimideren, hoe ze ontsnapt was en begon weer te rillen.

'En nu moet je gaan slapen. Ga gauw naar boven, naar de kamer naast de mijne en laat het licht uit. Ik kom je zo dadelijk dekens en thee brengen.'

'Moet ik onderduiken?'

'Zolang die sinjeur in de buurt is liever wel.'

'Mag ik dan eerst nog even mijn mail bekijken?'

'Als dat per se moet, ga je gang.'

Tot haar vreugde vond ze een bericht van Nina. 'Het deed me goed je stem te horen,' schreef ze. 'Ik kon niet vrijuit spreken, mijn schoondochter was op bezoek, maar dat had je wel begrepen.

Nu Jacob in Europa is, moet ik je voor hem waarschuwen. Schrijf maar niet meer over hem. Ook op afstand controleert hij mijn mail, wist je dat? Hij heeft mijn wachtwoord. Hij en zijn ex drijven me zover dat ik aan mijn verstand ga twijfelen. Je wordt vergeetachtig als je ouder wordt, dat is bekend, maar Jacob beweert dat ik dingen verzin. Valse herinneringen of sprookjes die echter lijken dan de feiten. God bewaar me!

Ik moet je iets schrijven wat mij als moeder pijn doet: Jacob is moeilijk, altijd geweest. Als kleine jongen besloop hij me van achteren en liet me vreselijk schrikken. Als ik in opvoedingskwesties de kant van zijn vader koos, kon hij me dagenlang doodzwijgen. Nog steeds speelt hij de baas over me, maar toch is hij op zijn manier een goede zoon. Sinds dit voorjaar zwerft hij rond over de wereld en hij belt me overal vandaan. Soms staat hij opeens weer voor mijn neus, voor een weekendje: tegenwoordig vliegen ze maar raak. Of het niks kost. Hij zit in de ICT en dat brengt met zich mee dat hij niet aan een bepaalde woonplaats is gebonden. Het is een beste jongen, maar wel een snob. Hij kan het nog steeds niet zetten dat zijn vader maar een heel gewone man was. Ach weet je, het is allemaal míjn schuld. Na mijn scheiding van Henk had ik behoefte aan een droom, en daar liet ik Jacob in meespelen. Hij was nog jong, hij geloofde alles wat ik zei. Dus vertelde ik dat zijn echte vader Frans Duinker was, een van de pioniers van de Nederlandse luchtarcheologie. Hele verhalen hield ik over hem: hoe we in de oorlog samen op zolder naar de verboden radio lagen te luisteren en op het dak van Bel Air naar de tommy's stonden te zwaaien, hoe we moesten schuilen in de kelder, waar we, tot woede van je grootvader, steeds de slappe lach kregen. Ik liet Jacob foto's zien van Frans en mij met tennisrackets op het gras, en van Frans' eerste zelfgebouwde vliegtuigje.

We hadden allebei een held nodig, denk ik nu. Bovendien vond Jacob het leuk om een Hollands zusje te hebben. Later, als hij zijn eigen geld verdiende, zou hij je gaan opzoeken. In 1960, toen hij hoorde van het ongeluk, was hij zo uit het veld geslagen dat ik hem de waarheid heb verteld: dat ik had gelogen over Frans, dat hij gewoon de zoon van Henk Boon was. Dat we toch maar getrouwd zijn, vanwege hem. Maar daar wilde hij toen niet meer aan, dat begrijp je. Hij keek neer op Henk. Nog altijd ziet hij zichzelf liever als een Duinker.

Dus mocht hij opeens bij je op de stoep staan, wees op je hoede!

Zodra ik kans zie bel ik je 06-nummer.

Hopelijk zie ik je gauw eens hier,

Nina.'

Waarschuwingen komen meestal te laat. Op de logeer-kamer was het zo koud dat Martha ondanks de drie de-kens lag te rillen van kou en spanning. Luid tikte de ra-diator in een poging het vertrek te verwarmen.

Jacob was dus geen familie! Een halfbroer die ze nooit had gehad kon ze ook niet missen. Toch voelde ze een merkwaardige leegte. Haar ogen prikten.

Jacob was eerder tragisch dan gevaarlijk. Even kreeg ze een visioen, een wensdroom: zij samen in Bel Air... Het zou niet eens incest zijn. Wat had ze te verliezen?

Van slapen kwam voorlopig niets. Ze rook oud papier in het kleine vertrek dat op het eerste gezicht boekenvrij leek. Al rondspiedend bij het spaarlampje ontdekte ze een kast vol oude nummers van *Ons Amsterdam*, terug-gaand tot de jaren vijftig van de vorige eeuw. Ze bladerde tot ze rustig werd. In het herdenkingsnummer van tien jaar Bevrijding las ze een gedicht uit Valerius' *Gedenck-clanck*: 'Wilt al uw daegen, Dit wonder bisonder gedenc-ken togh.' Schuilen in de kelder, doden, gewonden... Ze liet het tijdschrift uit haar handen glijden, trok de dekens over haar hoofd en sloot haar brandende ogen.

Ze wilde best een wonder gedenken om in slaap te ko-men. Maar welk? Er waren er zoveel, duizenden, welbe-schouwd gleed elk leven van het ene wonder naar het andere, maar een mens werd moe, stompte af, koos voor het gemak van de routine of keerde zich gekwetst in zichzelf; de wonderen verloren hun glans en werden alledaags, klaar voor de vergetelheid. Het waren er teveel om ze allemaal voor de geest te halen, zoals ze eigenlijk verdienden.

Voor je de moed opgaf en vergat, dacht Martha, zou je ze een voor een moeten koesteren en ze de hun toekomende plaats geven.

Net als vanochtend, toen ze bij het doorzoeken van de spelletjeskast de oude schaatsen vond, probeerde ze weer voor zich te zien hoe haar vader haar Friezen onderbond. Hij hurkte voor haar neer op het ijs zodat ze zijn rug en schouders zag in een donkerblauw windjack. Droeg hij een muts? Ze wist het niet meer. Had hij een das om zijn nek? In plaats van zíjn hoofd zag ze het piekhaar en de kalende kruin van Jacob. Vooruit, dan maar Jacob... Ze liet zich gaan en rolde over de rand van de afgrond de slaap in.

In haar droom schaatsten ze over een kaarsrecht kanaal. Ze waren de enigen, iedereen was blijkbaar al naar huis. Op beide oevers groeiden populieren, de lage zon zette stammen en takken in een gouden gloed. Hoog in de kruinen ritselden de laatste gele blaadjes tegen de strakblauwe lucht. Kon het zo vroeg in het seizoen al vriezen? Het ijs blonk verblindend. Martha had zoveel vaart dat de wind in haar oren suisde. Ze gleed zonder moeite en wilde dat het altijd doorging.

'We moeten voor donker naar huis,' hoorde ze Jacob zeggen. 'Anders rijden we nog in een wak.' Hij schaatste steeds harder, zijn ijzers knerpten zodat het witte poeder opstoof. Ze reden recht op de bloedrode zon af. Nog even en hij zou onder gaan. Martha's benen werden stijf. 'Ik kan niet meer,' hijgde ze. Jacob pakte haar bij de schouders en duwde haar voort over het zwarte ijs. Ze voelde de windribbels in haar voetzolen.

De zon was onder, maar de hemel vlamde nog na. Ze passeerden boerderijen waar de waakhonden aansloegen, en ze waren nog ver van huis.

Ze schrok wakker van een woedend geblaf. Even later was het huis vol herrie. Er werd langdurig aangebeld en tegen de voordeur geschopt. Ze schoot overeind.

'Blijf waar je bent,' riep Jan haar door de muur heen toe. 'Laat je niet zien. Licht uit.'

Ze hoorde hem met zijn volle gewicht uit bed bonzen en het gangraam openschuiven. 'Ga weg of ik bel de politie!'

Wat er geantwoord werd, kon Martha niet verstaan. Lady blafte of haar eer ermee gemoeid was. Dit moest Jacob zijn!

'Martha? Nee, die is hier niet,' hoorde ze Jan roepen. 'Gaat u nou weg, of ik stuur de hond op u af.'

'Doe maar!' schreeuwde Jacob, nu ook voor Martha te verstaan. Hij zocht háár! Gerinkel van glas klonk door het huis. Zo te horen gooide hij handenvol grind tegen de ruiten.

Jan kwam hijgend binnen. 'Die vent is door het dolle heen,' fluisterde hij, met zijn ene hand Lady's bek dichthoudend en haar met de andere bekloppend. 'Heb je je gsm in je tas?'

'Ja.' Martha graaide in haar schoudertas. Een tweede aanval verbrijzelde de volgende ruit. Naast elkaar op de divan wachtten Jan en Martha af of Jacob door de kapotte ruiten naar binnen zou stappen en de trap op zou stormen, maar na de laatste rinkelende scherf viel er een ademloze stilte.

'Bel 112,' commandeerde Jan.

Ze toetste en gaf de mobiel aan Jan die hijgend om spoed verzocht.

'Hij is weg,' fluisterde Martha.

'Of hij heeft zich verstopt in de kwekerij. Ik hoop dat ze snel komen.'

'Dat duurt hier in de buurt zeker tien minuten.'

'We zullen zien.'

Jan zat zo dicht naast haar dat ze zijn hitte door zijn pyjama en haar trui heen voelde slaan. Op de vloer lag Lady troostend zijn tenen te likken.

'Waar blijven die lamzakken?'

Lady gromde en spitste de oren.

Het duurde nog minstens een kwartier voor ze in de verte een sirene hoorden naderen.

'Blijf waar je bent,' beval Jan en bonkte de trap af.

Beneden namen twee agenten de glasschade op. Door de vloer heen hoorde Martha Jan bassen en de agenten stommelen. Lady hield zich koest.

Ze liep de trap op naar zolder en stak haar hoofd uit het dakraam. Zo kon ze tussen de sparren door het dak van Bel Air zien.

Wat ze daar zag leek zich in een andere wereld af te spelen. Er was vuur, het dak brandde, dichte zwermen sneeuwvlokken verdampten in vlammen die geen geluid leken te maken. Zelfs toen ze een brandlucht rook dacht ze nóg dat ze droomde.

Van haar zachtboard zolderkamer, voorheen het hok van het meisje Ninette, zou straks niets meer over zijn. In plaats van geschrokken was ze opgewonden, net als vroeger tijdens het oudejaarsvuurwerk op de hei. Alsof de wereld weer mooi en nieuw zou worden.

Pas toen ze haar hoofd tegen het dichtvallende raam stootte, kwam ze met een schok tot bezinning.

'Brand!' schreeuwde ze met dichtgeknepen keel.

26

De brandweer was er niet al te vlot bij. Na het blussen restten er van Bel Air de nog gave stenen buitenmuren, de verkoolde spanten van de dakconstructie, beroete binnenmuren en zwarte balken plafonds. Brandweermannen hadden het verminkte huis met rood-wit lint omgord. Zolang het onderzoek liep mocht er, afgezien van de recherche en de gehelmde schade-experts, niemand naar binnen. Als binnen tenminste nog binnen mocht heten.

Naar het ontstaan van de brand werd een onderzoek ingesteld. Kortsluiting werd onwaarschijnlijk geacht. Agenten met meetlinten en een herdershond kamden tuin en kwekerij uit. Jacob Smit was voortvluchtig.

In het schrille ochtendlicht stonden Jan Beets en Martha naar de stinkende bouwval te kijken.

'Die armband heb je tenminste gered,' zei Jan. 'Je bent toch wel verzekerd?'

Martha schrok. 'Dat zou ik echt niet weten.'

Zodra de deskundigen weg waren, waagde Martha zich over het lint. Ze dacht aan de gulpknoop op de schoorsteenmantel, die ze maanden geleden in de dakgoot had gevonden, maar die zou nu wel gesmolten zijn. Toch liep ze naar het woonkamerraam en boog zich naar binnen door de ontbrekende ruit. Sneeuw dwarrelde neer vanuit het open hemeldak. Bel Air. Meubels en huisraad waren onherkenbaar geblakerd en verminkt. Boeken, opgezwollen door bluswater of geroosterd als tosti's, lagen verspreid over de vloer.

'Kijk eens,' riep ze naar Jan.

Uit een berg huisraad achter het raam raapte ze een stenen vogel op. Het was de spekstenen havik, die een eeuw lang op de schoorsteenmantel het huis had bewaakt; geblakerd, maar ongedeerd.